Comportamiento PERTURBADO

53 alarmantes tendencias de los adolescentes y cómo notarlas

Lee Vukich
Steve Vandegriff

Editorial UNILIT

Sepa

Publicado por
Editorial Unilit
Miami, Fl. 33172
Derechos reservados

© 2009 Editorial Unilit (Spanish translation)
Primera edición 2009

© 2005 por Lee Vukich y Steve Vandegriff
Originalmente publicado en inglés con el título:
Disturbing Behavior, 53 Alarming Trends of Teens
por AMG Publishers,
Chattanooga, Tennessee, USA.
Todos los derechos reservados.
Traducido con permiso de AMG Publishers.
Translated and used by permission of AMG Publishers.

Traducción: Belmonte Traductores, www.BelmonteTraductores.com
Diseño de portada: Osvaldo Gonzalez
Fotografía de la portada: MaxFX, 2009. Used under license from Shutterstock.com

A menos que se indique lo contrario, las citas bíblicas se tomaron de la Santa
Biblia, *Nueva Versión Internacional.* © 1999 por la Sociedad Bíblica Internacional
Las citas bíblicas señaladas con LBLA se tomaron de la Santa Biblia, *La Biblia
de Las Américas.* © 1986 por The Lockman Foundation.
El texto bíblico señalado con RV-60 ha sido tomado de la versión Reina Valera
© 1960 Sociedades Bíblicas en América Latina; © renovado 1988 Sociedades
Bíblicas Unidas.
Las citas bíblicas señaladas con DHH se tomaron de *Dios Habla Hoy*, la Biblia
en Versión Popular por la Sociedad Bíblica Americana, Nueva York.
Texto © Sociedades Bíblicas Unidas 1966, 1970, 1979.
Utilizados con permiso.

Producto 495511
ISBN 0-7899-1487-5
ISBN 978-0-7899-1487-3

Impreso en Colombia
Printed in Colombia

Categoría: Vida cristiana/Relaciones/Crianza de los hijos
Category: Christian Living/Relationships/Parenting

CONTENIDO

PREFACIO

Por ser profesores, nuestros alumnos nos hacen muchas preguntas, tales como: «¿Qué sabe sobre esto? ¿Qué sabe sobre aquello?». Nosotros tratamos de abordar esos asuntos en este libro. No tenemos todas las respuestas, pero sabemos dónde buscar.

Al enfrentarse a comportamientos perturbadores, los adolescentes buscan respuestas de sus padres, líderes y obreros de jóvenes, pastores, maestros u otros adultos interesados. Algunos adolescentes solo están en la exposición preliminar de tales conductas. Otros quizá estén implicados en ellas a niveles peligrosos. Aun otros creen que su conducta es normal, pues todos lo hacen. Algunos de esos comportamientos perturbadores puede que no le resulten nuevos... otros quizá lo sean. A pesar de eso, queremos crear conciencia para que cuando se enfrente a esos problemas, tenga una versión condensada de las *Selecciones* en cuanto a lo que está tratando. Emplearemos más tiempo en algunas conductas que en otras. Algunas respuestas poseen base bíblica, otras usan el sentido común. Tome un asunto o dos cada semana y hable al respecto con sus hijos adolescentes. Es probable que, tanto usted como sus adolescentes, aprendan algo los unos de los otros, y a lo mejor usted evite posibles consecuencias de esos comportamientos perturbadores.

Oímos acerca de un alumno de la Universidad de California, en Los Ángeles [U.C.L.A.], que tenía un problema que no dejaba de acosarlo: frecuentaba cierta librería para adultos. Acudió a pedir consejo a un pastor, y el pastor le dijo que orase por esto. Así que el alumno lo hizo, pero el problema no desaparecía. Acudió a otro pastor buscando consejo, y una vez más obtuvo la misma respuesta: ora por eso. Al final, fue a un pastor que le hizo una pregunta extraña:

—¿Dónde está situada esa librería?

—Está de camino al campus de la U.C.L.A. —respondió el alumno.

El pastor le preguntó si estaba dispuesto a cambiar su estilo de vida por tres cuadras.

—¿Qué quiere decir con eso? —preguntó el alumno.

El pastor le dijo que cuando fuera por la calle donde estaba esa librería, girase una cuadra antes de llegar a esa calle. Luego debería seguir por la calle contraria, girar a la izquierda y dirigirse hacia el campus. El alumno estuvo de acuerdo con cambiar su ruta por tres cuadras y dio resultado.

Esta historia no tiene la intención de minimizar la oración, porque la oración siempre tiene que ser un elemento principal, pero los adolescentes en la actualidad están buscando estrategias «de tres cuadras» que les ayuden a evitar comportamientos perturbadores. Este libro intenta proporcionar algunas de esas estrategias.

Dr. Lee Vukich
Profesor de Ministerios con Jóvenes, Universidad *Liberty*

Dr. Steve Vandegriff
Profesor de Ministerios con Jóvenes, Universidad *Liberty*

Aborto

LOS SIGUIENTES testimonios son de tres mujeres que se practicaron un aborto en la adolescencia:

Hacía seis meses que salía con Bob cuando descubrí que estaba embarazada. Bob no quería que tuviera el bebé, considerando que solo teníamos dieciocho y diecinueve años de edad. Yo no quería renunciar a la vida que llevaba en mi interior, pero no sabía a quién acudir. Mi familia es católica y está en contra del aborto, y las personas a las que casi siempre acudo también estaban en contra del aborto. Las únicas personas a las que podía decírselo eran a Bob y unas cuantas amigas que sabía que se habían practicado abortos en el pasado. Debido a que me alentaron a que abortara, me sentí presionada a hacerlo. Busqué en la Internet y encontré una clínica en Ohio. Estaba asustada, pero me practicaron el aborto en octubre de 2000.

No recuerdo mucho del procedimiento porque el médico me dio una medicina relajante por vía intravenosa. Lo que sí recuerdo es que le dije que me dolía, aunque después no podía recordar el dolor. Cuando terminó el aborto, una enfermera me llevó a la sala de recuperación, donde había varias muchachas. Ella me preguntó si quería ver lo que me sacaron y le respondí que sí. No parecía mucho, pero yo me sentí vacía. Después tuve dolores durante semanas, con fuertes calambres y hemorragia. Llamé a la clínica para asegurarme que eso era normal, y una enfermera me dijo que mientras no tuviera fiebre, eso era normal.

Después del aborto, tenía mis menstruaciones con regularidad. El año pasado no las tuve por tres meses y tuve que tomar hormonas para hacer que comenzaran de nuevo. Cuando no las tuve por otros dos meses, fui a mi ginecólogo para un chequeo y descubrí que tenía quistes en mis ovarios y heridas en mi útero. El médico me dijo que las heridas se debían al aborto y que quizá no pudiera tener hijos.

Para algunas de ustedes, esto tal vez les parezca bueno ahora, pero piensen en el futuro. Cuando se casen, ¿no querrán tener familia? Mi aborto me ha causado muchos problemas, desde depresión y trastornos alimenticios hasta culpabilidad y remordimiento. Me ha sido muy difícil estar cerca de bebés que habrían tenido la misma edad que el mío. Ya no estoy con Bob, y ahora comprendo cómo me maltrató de palabras y me manipuló durante dos años y medio. Al volver la vista atrás, solo puedo aprender de los errores que cometí[1].

Un segundo testimonio dice:

Tenía diecisiete años cuando puse fin a mi embarazo. Cuando descubrí que estaba embarazada, mi novio casi se siente feliz; aun así, quería que abortase. Debido a que mi mamá falleció algunos años antes, la única persona a quien podía decírselo era a mi papá. ¡Aquello fue difícil!

Mi padre, su novia y mi novio fueron conmigo a mi cita. Yo estaba tan avergonzada que no permití que mi novio ni mi papá estuvieran en la sala mientras me practicaban el aborto, pero sí permití que me acompañara la novia de mi papá.

Con frecuencia pienso en lo cobarde que fui y en cómo huí de la situación. Supliqué a Dios que me perdonara. Ahora, al leer que otras muchachas como yo han tenido las mismas emociones, me sirve de ayuda ver que eso sucedió por un motivo. Solo espero poder ayudar a otras personas a no tomar la misma decisión que tomé yo[2].

Un tercer testimonio dice:

El descubrimiento de mi embarazo a los dieciséis años fue paralizante. Me encantaban los niños, pero sabía que mi madre estaría en contra de que tuviera un bebé tan joven. La noche que lo descubrí se lo dije, y ella no me creyó. Después de convencerla de que era cierto, al final me dijo: «No te casarás con él», y luego preguntó: «¿Qué vas a hacer al respecto?». No le respondí. ¡Ella añadió que no podía tener al bebé! Yo estaba tan atontada como un zombi. A la mañana siguiente, mi madre me preguntó: «¿Qué vas a hacer?», y le respondí que no lo sabía. Me dijo: «¿Y en qué hay que pensar?». Salí para la escuela como un huracán. Durante las clases, lo único en que podía pensar era en que yo quería de verdad a ese bebé y que estaba decidida a tenerlo. Llegué a casa esa tarde y le dije a mi madre cuáles eran mis planes, pero ella se rió en mi cara y me dijo que no podía criar a un bebé yo sola.

Al estar en un estado mental vulnerable, la creí, aunque quería tener el bebé. Mi madre lo organizó todo y yo solo me dejé llevar. No podía ponerme en contacto con mi presunto novio, pero entonces cuando me enteré de que se iría el día en que yo iba a entrar al hospital, decidí que no quería tener un hijo con un hombre como ese. Sin duda, querría la custodia del bebé cuando naciera. Así que no luché por los derechos de mi bebé y permití que mi madre tomara el control.

Antes de la operación, le dije a Dios que si mi vida iba a seguir en ese estado de depresión, no quería despertarme de la operación. Mientras estaba tumbada en el quirófano, vi la máquina que el médico utilizó y me dieron náuseas. Esa noche me sentí como una asesina, pero también creo que lo que sucede, sucede por un motivo. No sería cristiana hoy si no hubiera sido por esa horrible experiencia. Necesitamos educar a los adolescentes con respecto a la autoestima y a esperar hasta el matrimonio para tener relaciones sexuales en lugar de usar el aborto como un método anticonceptivo[3].

No es raro ver a una muchacha de dieciséis años embarazada en la escuela. La mayoría de esos embarazos, si no todos, son imprevistos. Una muchacha podría descubrir que está embarazada y sentir que todo su mundo se termina. Sin embargo, ha oído que hay un camino de salida de ese «desastre». Solo se practica un aborto y deja tras sus espaldas todo eso. Al fin y al cabo, es del todo seguro. Por lo tanto, ¿cuál es el daño? ¿Acaso el feto que está en su interior no es más que un conjunto de células? Su vida puede seguir adelante tal como había planeado.

Hoy en día, más que nunca, las adolescentes tienen relaciones sexuales sin la protección adecuada. Luego, cuando se encuentran embarazadas, muchas recurren al aborto como la única solución a su problema. Las investigaciones han revelado que una tercera parte de las pacientes que se practican abortos son adolescentes[4]. El 40% de los abortos se practica a chicas de edades entre 15 y 19 años, y el 1,9% se practica a chicas menores de 15 años[5]. David Reardon y Amy Sobie[6] creen que las muchachas adolescentes no son lo bastante maduras psicológicamente para tomar decisiones con tales consecuencias como el aborto. No solo los activistas en favor de la vida apoyan esa perspectiva, sino que hasta la organización *Planned Parenthood* les informa a sus consejeros de que un embarazo en una adolescente es con frecuencia una «situación de crisis». Ven a las adolescentes como vulnerables, recelosas y carentes de capacidad de comunicación. La mayoría de las adolescentes embarazadas se sienten presionadas a practicarse un aborto. La gente les dice que el aborto es la única manera de evitar que sus padres se enteren y que ellas son demasiado jóvenes para tener hijos. Los novios o los padres puede que hasta las amenacen.

En algunos casos, los consejeros organizan el aborto o promueven el aborto como la única respuesta. Los Carter de Pensilvania demandaron al consejero escolar, William Hickey, y a su distrito escolar. Acusaron a Hickey de «coaccionar» a su hija para que abortara, y hasta lo organizó. Él contravino la ley de consentimiento paterno del Estado organizando que el aborto se realizara en otro Estado. Los Carter ganaron una compensación de veinte mil dólares y el distrito escolar ahora debe prohibir a los consejeros que fomenten los abortos[7]. A decir verdad, es triste que una alumna no pueda confiar en su consejero o tutor cuando lo necesita.

Los abortos en adolescentes no se limitan a ciertos tipos de chicas ni a ciertos lugares. Solo en Virginia, más de 1.900 adolescentes se quedan embarazadas cada año. En 1999, se practicaron 932 abortos en chicas de Virginia de 16 años de edad y menores. En la soleada California, se calcula que 126.300 adolescentes se quedan embarazadas cada año. De cada 1.000 muchachas quedan embarazadas 80 en edades entre 15 y 16 años. En Tejas, donde lo mayor es mejor, el Centro para el Control y la Prevención de Enfermedades informó de 2.441 abortos en muchachas de 16 años y menores en 1999. El lluvioso estado de Washington informó de 1.130 abortos en adolescentes jóvenes. Eso es el 21,1% de todos los abortos en el estado en el año 1999. Missouri informó 304 abortos en este grupo de edades, o un 21% del total del Estado. Alabama ve a más de 16.500 adolescentes embarazadas cada año, con 667 abortos en edades de 16 años y menores. De los abortos del Estado, el 24,3% recae sobre los hombros de esas adolescentes[8].

Los abortos no pueden detectarse ni reconocerse con facilidad. Debido a que muchas chicas abortan para ocultar los pecados cometidos, la mayoría no contaría de manera voluntaria lo que hicieron. Aun así, algunas complicaciones y efectos que quedan tras los abortos pueden relacionarse con el acto. Según una encuesta en www.afterabortion. org, muchas mujeres experimentan culpabilidad, depresión, enojo, remordimiento, condenación propia, rechazo, odio y falta de perdón a sí mismas. Algunas experimentan escenas retrospectivas, pesadillas, pensamientos de suicidio, pérdida de dignidad y autoestima, y un sentimiento de vacío. Otras se preocupan por pensamientos de muerte y de los niños que podrían haber tenido. Experimentan sentimientos negativos cuando se exponen a mensajes a favor de la vida[9].

Las adolescentes que han abortado no solo experimentan tales efectos perjudiciales, sino que también están sujetas a riesgos mucho más altos. Según Reardon y Sobie, las adolescentes tienen de dos a cuatro veces más probabilidades de cometer suicidio después de los abortos, o pueden llegar a estar en relaciones conflictivas. También es probable que desarrollen problemas psicológicos que hasta requieran el ingreso a hospitales. Las influencias externas (padres, compañeras, novios y cultura) son casi siempre factores importantes a la hora de tomar decisiones en cuanto a los embarazos. Muchas adolescentes dicen que querían tener a sus bebés. También experimentan más temor y ansiedad ante sus abortos, lo cual conduce a un dolor más intenso durante el procedimiento[10]. Un complejo estudio realizado en Finlandia reveló que las mujeres en general (de quince a cuarenta y cuatro años) que abortaron tenían tres veces y media más probabilidades de morir al año siguiente que quienes siguieron adelante con el embarazo[11]. Algunas adolescentes «reconstruyen» sus traumas teniendo repetidos embarazos y abortos. Esto puede considerarse como problemas «de representación» resultantes de los abortos y hasta el deseo de sustituir a los niños perdidos[12].

Las ramificaciones sociales del aborto entre adolescentes son ilimitadas. Los efectos psicológicos sobre las adolescentes tienen repercusiones dentro de toda la cultura juvenil. Una crisis afecta no solo a una persona, sino también a sus amigos y su familia. La pérdida de una vida causa mucho sufrimiento, ya sea la vida del bebé o hasta la vida de la madre. La muerte es una posibilidad muy real, ya sea por suicidio o por complicaciones. Un artículo escrito por Diane Dew en *The Standard* hablaba de una muchacha de trece años que murió durante un aborto. Los medios de comunicación no informaron como es debido la historia, sino que solo dijeron que la familia obtuvo una compensación. No proporcionaron detalles para proteger a otras muchachas y mujeres en el futuro[13]. Una generación de muchachas está creciendo con heridas y confusión. Las personas en las que más confiaban les han herido al forzarlas a abortar. Los padres y los consejeros les dicen que no tienen otra elección. Crecen sin confiar en los adultos y no tienen a nadie en quien confiar. Con frecuencia no entienden por qué se sienten de esa manera, pero también creen que siempre hay una salida para cualquier problema que encuentren en la vida.

Por lo tanto, ¿qué puede hacerse para evitar que las adolescentes aborten? Muchos Estados requieren consentimiento paterno antes de realizar abortos a muchachas menores de diecisiete o dieciocho años. Alaska, Arizona, Colorado, Florida, Idaho, Indiana, Kansas, Kentucky, Luisiana, Maine, Maryland, Massachussetts, Michigan, Mississippi, Missouri, Carolina del Norte, Pensilvania, Rhode Island, Carolina del Sur, Tennessee y Wisconsin tienen leyes que requieren que los padres u otros familiares adultos den permiso para que las adolescentes aborten. Otros Estados exigen que al menos se les comunique a los padres antes de que se practique un aborto. Aun así, muchos Estados no tienen leyes sobre el consentimiento paterno ni sobre la información a los padres[14]. Sin embargo, es obvio que el consentimiento paterno no resultará cuando sean los que obliguen a sus hijas a abortar. Las adolescentes mismas necesitan información. Hay que distribuir publicaciones que informen a las estudiantes acerca de los efectos y los hechos sobre el aborto y la ayuda posterior al aborto. Con frecuencia se distribuyen materiales llenos de anuncios en escuelas y también necesitan que salga información[15].

Muchas veces, las muchachas abortan porque temen decírselos a sus padres y no saben cómo informarles. Tienen temor a las consecuencias y a la desaprobación de sus padres. Birthchoice.net da un ejemplo de la vida real con la siguiente carta[16]:

Querida mamá:

Siempre te he querido, y la mayor parte del tiempo he tratado de hacer que estuvieras orgullosa de mí. He metido la pata muchas veces en mi vida, pero tú siempre has estado a mi lado. Ahora he metido la pata hasta el fondo. Me espanta tener que decírtelo y hacerte pasar por esto. Estoy embarazada. He pasado las últimas tres semanas llorando; pero también he asumido alguna responsabilidad. He sabido que a las ocho semanas, que es lo que dura mi embarazo, el corazón de mi bebé ya está latiendo, ya hay ondas cerebrales y todos los órganos están presentes. Nunca podría abortar porque sé que mi bebé es un verdadero ser humano que no debería tener que morir debido a mi error. John lo sabe y está tratando de apoyarme, pero tiene bastante miedo. Hasta hay casas donde yo podría vivir si crees que eso sería mejor para nuestra familia. Podría pensar en darlo en adopción. Quiero hacer lo que sea mejor. No puedo decirte cuánto lo lamento. Siento que soy una decepción y una vergüenza para ti y para el resto de la familia. Te necesito ahora más que nunca. Por favor, ayúdanos al bebé y a mí.

Te quiere,

Jennifer

Algunos creen que el control de la natalidad resolverá el problema. Sin embargo, el control de la natalidad no le evita a la muchacha las consecuencias emocionales y físicas de tener relaciones sexuales. El control de la natalidad también puede fallar en su protección. El simple hecho de tomar un medicamento para el catarro a la vez que se toman anticonceptivos puede hacer que no resulte[17].

Una de las mejores maneras de frenar el aborto entre adolescentes es hacer que las chicas sean individuas informadas. Los padres también necesitan información. Necesitan entender lo que les causará a sus hijas un aborto. Ambas partes necesitan comprender que aunque la reputación y los estilos de vida puedan haber quedado a salvo por el momento, la paz y la felicidad serían difíciles, por no decir otra cosa peor. Las adolescentes necesitan que se les informen de otras opciones para sus embarazos indeseados, como la adopción (mediante agencias y hogares de adopción), al igual que de la opción de quedarse con sus bebés. Siempre deben escoger la vida antes de la prematura y calculada muerte de niños inocentes no natos. Jesús mismo es un defensor de escoger la vida. Juan 10:10 dice: «Yo he venido para que tengan vida, y la tengan en abundancia».

Belleza

DOS PRIMAS, Anna Johnson y Heather Stearns, están sentadas en el *Seventeen Spa*, un salón de belleza para adolescentes en Plano, Tejas, recibiendo una sesión de maquillaje y peluquería. Las niñas tienen nueve y once años de edad. Ya hace más de un año que han estado yendo. Para los salones de belleza y los balnearios de día, las preadolescentes son el futuro. Por todo el país los salones están inventando tratamientos faciales antiacné para seducir a las muchachas a realizarse costosos tratamientos. «Los dieciocho años solía ser la edad mínima para las clientes», dice la gerente del complejo. «Ahora los balnearios dan la bienvenida a niñas de catorce, trece y hasta doce años». Sin embargo, ¿es todo eso sano? Heather Nicholson, de *Girl's Inc.*, dice: «Se está haciendo una enorme cantidad de dinero al sugerir que las niñas tienen que arreglarse a fin de ser aceptables»[1].

La belleza lo vende todo: ropa, cosméticos, comida y piezas de automóviles. El típico estereotipo televisivo es que los hombres deberían ser altos y musculosos, y las mujeres deberían ser delgadas y con curvas. De la televisión, los adolescentes aprenden que quienes se divierten con amigos tienen bonitos cuerpos, un hermoso cabello y tez clara. Las chicas pagan el precio más alto por esa imagen. A las mujeres, según los estándares de nuestra sociedad, las juzgan por su aspecto en lugar de hacerlo por sus logros, su valor o sus creencias. La gente que aparece en la televisión establece un estrecho estándar de belleza que puede contribuir al temor y a una baja autoestima en las mujeres jóvenes. Los jóvenes tratan con empeño de estar a la altura de los estándares que creen que son normales. No solo sufren las mujeres jóvenes debido a sus fracasos a la hora de encajar en esos estándares, sino también porque los muchachos creen que las mujeres pueden alcanzarlos en la realidad. Estudios recientes han demostrado que un 48% de las mujeres no se contenta con su cuerpo. Los medios de comunicación venden una imagen que el 99,9% del mundo nunca logrará, y muchas chicas malgastan su tiempo buscando sueños solo para quedar desilusionadas una y otra vez[2].

Las portadas de las revistas anuncian una corriente constante de dietas de moda, ejercicios para quemar calorías y, más recientemente, costosa operación estética. Las operaciones caras y que alteran la imagen ya no están a disposición solo de las celebridades, sino también del público en general y hasta de las chicas adolescentes.

Según Bethany Ramos, las revistas para adolescentes establecen estándares malsanos de belleza, imagen corporal y sexualidad, y deberían llevar una gran parte de la carga por los efectos negativos de esas representaciones. Se enfoca de manera específica en la revista *Teen People*, pero comenta que la mayoría de las revistas de moda también han hecho de los adolescentes su objetivo a alcanzar. Esas revistas siguen tendencias de celebridades, y las adolescentes se suscriben no solo a las revistas y a sus ideales, sino también a su ideología de ídolos juveniles[3].

A las mujeres jóvenes con frecuencia las abruman con estrictos estándares de imagen corporal. «La cultura de nuestros medios de comunicación está alimentando a nuestros jóvenes: nuestras muchachas y muchachos, nuestros niños pequeños y adolescentes mayores, con una constante dieta de imágenes y de formas corporales a seguir mediante cualquier mercado disponible. Todos esos mensajes se combinan para definir un estándar de aspecto que pocos alcanzarán nunca, pero que toda una cultura se esfuerza por obtener», dice Walt Mueller del *Center for Parent and Youth Understanding*. Una psicóloga clínica, Mary Pipher, hasta revela que en todos su años de terapia no ha conocido ni a una sola muchacha que esté contenta con su cuerpo. Teme que a las mujeres las hayan condicionadas en lo cultural a odiar sus cuerpos[4].

En su libro, *Youth Crisis: Growing Up in the High-Risk Society,* Nanette Davis muestra los millones de dólares generados por las industrias de la imagen corporal. «Este idealizado estándar de belleza que solo unos pocos pueden alcanzar, la mayoría de los cuales son modelos profesionales, ha generado potentes industrias: la industria de las dietas, de treinta y tres mil millones al año; la industria de la cosmética, de veinte mil millones al año, y la industria de la cirugía estética, de trescientos mil millones al año». También dice que el mito de la belleza se está convirtiendo en un concepto popular en la industria de la moda, de miles de millones de dólares[5].

Los ministros de jóvenes, consejeros y otras personas adultas significativas pueden desempeñar papeles cruciales en la prevención, educación y sanidad de las muchachas adolescentes con respecto a la imagen corporal y la autoestima. Tales personas adultas pueden proporcionar alternativas sanas y promover el papel positivo y bíblico de las mujeres. Un paso práctico que pueden dar es siendo sensibles al cuerpo. Deberían evaluar el ámbito físico que les rodea, como salones de clases, oficinas, carteles, tablones de anuncios, revistas y libros, considerando las imágenes que representan. En campos donde ellos ministran o aconsejan a jóvenes, ¿hay representaciones exactas y realistas de mujeres? ¿Incluyen las imágenes a mujeres de todo tipo, tamaño, color de piel, estilo de peinado?

Otra manera en que los adultos pueden ayudar es mediante la educación. Pueden hacerles hincapié a los adolescentes en cuanto a los cambios naturales del desarrollo. Deberían comunicarles a las muchachas adolescentes respecto a los cambios físicos y los desequilibrios hormonales que pueden esperar durante este período de sus vidas. Pueden asegurarles que esos cambios son muy naturales y hacen que todas las muchachas de su edad se enfrenten a incertidumbre con respecto a sus cuerpos. Los adolescentes no están solos en esta transición, sino que sus amigos también afrontan esas mismas incertidumbres y situaciones embarazosas. Los adultos pueden fomentar la discusión abierta entre adolescentes acerca de sus cambios, y dar oportunidades para la reflexión personal y los cambios de percepción. Esos adultos con influencia también necesitan educar a los adolescentes sobre los peligros de las decisiones drásticas y duras y los detrimentos en la salud causados por las obsesiones con la nutrición y el ejercicio, tales como dietas de choque y ejercicio extremo. En su lugar, tales adultos deberían alentar a los jóvenes a desarrollar hábitos sanos y regulares de alimentación y ejercicio. Pueden informarles a las chicas adolescentes sobre los alimentos sanos y regímenes de ejercicio regulares y seguros que harán que se enfoquen en los beneficios que reciben al estar sanas en lugar de estar esforzándose por obtener una aceptación basada en la imagen corporal. Es muy probable que el impulso en la salud física de los adolescentes y la confianza de saber que están cuidando sus propios cuerpos tenga efectos positivos en la autoestima y la manera en que ven sus cuerpos.

Los adultos también pueden defender a los adolescentes de los ataques a los que están sujetos en los medios de comunicación. Los ministros de jóvenes y los padres pueden adoptar pasos firmes contra los perniciosos valores e imágenes irrealistas que se presentan en los medios dirigidos a los adolescentes. Peticiones, boicots de ciertos productos o empresas anunciadoras, cartas a editoriales y cartas a líderes políticos y otras personas en importantes puestos de influencia pueden expresar su preocupación por estándares más estrictos y pedir responsabilidades a los medios de comunicación.

Los adultos que trabajan con adolescentes también tienen la responsabilidad de investigar la cultura pop y proporcionar a las muchachas adolescentes alternativas sanas a las imágenes de la cultura pop. Tales adultos también pueden hacer lo siguiente: cuando hablan de la cultura, dar un reconocimiento positivo a quienes en los medios de comunicación, tanto seculares como sagrados, promueven imágenes sanas y altos estándares morales. Pueden sugerir alternativas a las influencias negativas de la cultura pop, como cantantes de música cristiana y revistas cristianas que incluyan un retrato positivo de las mujeres y se enfoquen en los verdaderos problemas que afectan a los adolescentes.

Señale modelos jóvenes y positivos para imitar. Que los adolescentes sepan que no serán los únicos que vayan contra la corriente de la sociedad secular, sino que otros también han dado valientes pasos para no conformarse y han tenido éxito. Algunos ejemplos pueden incluir a mujeres jóvenes en lugares de influencia, liderazgo o los medios de comunicación que hayan mantenido integridad personal, modestia y valores morales. Por último, los adultos necesitan fomentar las relaciones de discipulado entre muchachas adolescentes y mujeres adultas o adolescentes mayores. Esas relaciones deberían centrarse en descubrir quiénes son en Cristo y los papeles bíblicos dados por Dios a las mujeres jóvenes. Los mentores deberían alentar el crecimiento y desarrollo espirituales contrariamente a la obsesión por cumplir los estándares físicos. Deberían desafiar a las muchachas a esforzarse por vivir para Cristo y agradarlo a Él.

Los padres y líderes cristianos tienen la responsabilidad dada por Dios de guiar a los adolescentes en este período tan confuso y emocionante. He aquí algunas sugerencias:

▶ Sea sensible y afirmador. Fomente las discusiones sinceras y las explicaciones de los cambios físicos, cognitivos y sociales que afrontan los jóvenes. A menudo, los adolescentes miran a sus héroes de los medios de comunicación para encontrar esas respuestas. Participen y sean buenos modelos a seguir. Sean amortiguadores durante momentos de ridículo que puedan dañar.

▶ Ofrezca perspectivas piadosas sobre esos cambios. Enseñe a los estudiantes la manera de desarrollar cualidades interiores piadosas en lugar de centrarse en el aspecto exterior. El apóstol Pablo le dijo al joven Timoteo: «Que nadie te menosprecie por ser joven. Al contrario, que los creyentes vean en ti un ejemplo a seguir en la manera de hablar, en la conducta, y en amor, fe y pureza» (1 Timoteo 4:12). Los jóvenes cristianos deben entender que deberían ser ejemplos de carácter piadoso y belleza interior aun cuando sean jóvenes.

▶ La comunicación es la clave. Los adolescentes deben sentir que otra persona entiende sus cambios. Los adultos desempeñan importantes papeles para que esa transición sea sana y eficaz.

Borrachera

LA BORRACHERA es una enfermedad secreta que se está convirtiendo en una epidemia en la cultura de los adolescentes. Puede definirse como beber cinco o más copas seguidas para los muchachos y cuatro o más copas para las muchachas[1]. Los bebedores en exceso continúan bebiendo hasta que se intoxican, mientras que los bebedores sociales quizá tomen solo dos o tres copas a la vez.

Sin embargo, casi ningún adolescente es bebedor social. Con sus fiestas de cerveza, donde emplean diferentes métodos de beber sin parar, los adolescentes no están acostumbrados a beber con moderación. Piensan que beber en exceso es la única manera de beber porque su objetivo es emborracharse. Es sorprendente que a la mayoría de los adolescentes ni siquiera les guste el sabor del alcohol; solo beben para encajar en el grupo porque eso es lo popular[2].

A pesar de las leyes que prohíben la distribución de alcohol a personas menores de veintiún años, muchos adolescentes lo consiguen con bastante facilidad. Entre los adolescentes menores de la edad legal para beber, de doce a veinte años, un 15% son bebedores en exceso y un 10% son muy bebedores. Los por cientos de bebedores en exceso saltan a un elevado 30% entre dieciocho a veinte años de edad[3].

Cuando los niños llegan a la adolescencia, la borrachera se convierte en un rito de iniciación. Si pueden soportar su licor, son buenos. Muchos participan en el juego del trago, donde dos personas compiten para ver cuántos tragos pueden aguantar. La primera persona que se quede sin conocimiento, pierde. Algunos han encontrado una manera fácil de emborracharse con tragos de Jell-O, mezclando vodka y Jell-O, echando la mezcla en bandejas de hielo y dejando que el hielo se empape. Se beben tres o cuatro bandejas antes de desmayarse.

Muchos adolescentes consideran la borrachera como pasar un buen rato y desinhibirse, pero este tipo de modo de beber puede conducir a graves resultados. El primero es quedar lisiado o morir en accidentes de auto. La bebida causa el 25% de los accidentes de auto con varones adolescentes implicados y el 12% con mujeres[4]. Un segundo resultado es el envenenamiento por alcohol, una reacción grave y fatal en potencia a una sobredosis. Cuando una persona se emborracha en un corto período, el cerebro se queda sin oxígeno. La lucha por tratar el alcohol y la falta de oxígeno conduce a que el cerebro cierre el corazón y los pulmones, causando a menudo la muerte[5].

Un tercer resultado de beber en exceso es un grave daño del riñón. Debido al consumo excesivo de alcohol y la velocidad en que se toma, el hígado no tiene tiempo para filtrarlo. El hígado puede repararse a sí mismo, pero beber en exceso una y otra vez causará un daño irreversible al hígado y a otros órganos[6].

Un cuarto resultado es la probabilidad de que los adolescentes se conviertan en alcohólicos. Aunque los adolescentes quizá disfruten de la aceptación social de beber en el presente, sus futuros se ven desalentadores. Las investigaciones demuestran que quienes comienzan a beber antes de los quince años de edad es probable que lleguen a ser alcohólicos cuando sean adultos[7]. Esta grave consecuencia arruina familias y vidas cada día en los Estados Unidos.

¿Qué puede hacerse en cuanto a este problema? En primer lugar, las autoridades necesitan hacer cumplir leyes más estrictas para evitar que los adolescentes compren alcohol. También necesitan establecer límites en la cantidad que pueden comprar las personas.

Algunos padres están ciegos a la epidemia de la borrachera y han adoptado una mentalidad de «vive y deja que aprendan», la cual destruye al final la estructura de toda la familia. Deberían guiar y dirigir a sus hijos adolescentes, pero algunos consideran eso como una invasión en la intimidad de sus hijos. Los padres cristianos, por otro lado, necesitan hacer todo lo posible por evitar que beban sus hijos adolescentes, en especial que se emborrachen. También deberían ser buenos ejemplos de una vida piadosa y enseñarles a sus hijos a estar firmes contra tal conducta.

Los líderes de jóvenes y padres deberían también enseñar a los jóvenes lo que la Biblia dice acerca de su conducta en público y en privado, sobre todo en lo relacionado a la bebida. Aquí tienen algunos versículos útiles:

«Vivamos decentemente, como a la luz del día, no en orgías y borracheras». (Romanos 13:13)

Las borracheras se enumeran como una de las «obras de la naturaleza pecaminosa». Pablo advierte que «los que practican tales cosas no heredarán el reino de Dios» (Gálatas 5:21).

«No se emborrachen con vino, que lleva al desenfreno. Al contrario, sean llenos del Espíritu». (Efesios 5:18)

Marcado con hierro candente

FABIÁN BRELAND decidió tener una omega, un símbolo de su hermandad fraternal, marcada en su piel y mostrarla durante el resto de su vida. Breland es miembro de Omega Psi Pi, una fraternidad social afroamericana. Muchas fraternidades afroamericanas tienen la tradición de marcar con hierro a los nuevos miembros. Cuando Breland se unió a la fraternidad, recibió la marca que simbolizaba la hermandad. «Quería todo lo que estuviera implicado en la organización y no lo consideré un desfiguramiento del cuerpo porque el significado que hay detrás compensa eso», dice Breland[1].

El asunto de marcar el cuerpo ha estado presente durante siglos. Puede remontarse al reinado del rey Enrique VIII, cuando las marcas con hierro candente castigaban e identificaban a esclavos y delincuentes. Por ejemplo, si agarraban a personas robando, las autoridades las marcaban con hierro con la letra L[2]. En años recientes, la marca con hierro candente se ha convertido en una moda, algo que los adolescentes hacen para identificarse con grupos o como una forma de arte. Algunas fraternidades exigen que se marquen a los nuevos miembros como parte de sus derechos de iniciación. En la actualidad, esta forma de arte es ilegal en los Estados Unidos, y los aficionados que lo hacen causan muchos problemas de salud.

El proceso de marcar con hierro candente es muy doloroso y solo los profesionales deberían realizarlo. Los instrumentos deben ser estériles y el cuerpo debe estar bien quieto. Los profesionales utilizan utensilios especiales para crear los diseños, mientras que los aficionados usan ganchos y sujetapapeles con madera unida como asa. El metal se calienta entre unos 760 a 980 ºC, y luego se coloca sobre la piel desnuda[3]. Si uno se quema la mano en una cocina, la temperatura es casi siempre de solo unos 94 ºC, pero quienes marcan dicen que cuanto más caliente esté el metal, menos dolor siente la gente. «La quemadura debería atravesar la epidermis, mediante la dermis, y llegar a la capa subcutánea. Si hay alguna vacilación, el hierro debería refrescarse en agua; quien marca debería volver a situarse y luego volver a calentar el hierro antes de intentarlo de nuevo. El proceso se repite tantas veces como sea necesario según el diseño»[4]. La persona que se está marcando debe quedarse todo lo quieta posible, mientras que el marcador debería tener un apoyo para evitar cualquier marca «mal colocada». El proceso de sanidad es difícil debido al tejido marcado que se forma. La herida debe limpiarse con regularidad a fin de evitar infecciones.

Las marcas con hierro son fáciles de identificar. La mayoría de las personas las llevan en sus brazos o sus espaldas porque las marcas deben situarse lejos de órganos vitales. Los diseños pueden ser grandes o pequeños, detallados, como una calavera y una cruz con huesos, o tan sencillos como una letra griega que represente a una fraternidad. Algunos diseños incluyen serpientes, huellas de animales y copos de nieve. La gente está orgullosa de sus marcas y las muestra para que todos las vean.

El marcado con hierro candente quizá sea una tendencia popular, pero hay que considerar muchas consecuencias y problemas de salud. Un gran problema se produce cuando adolescentes aficionados utilizan clips calientes para marcarse solos. Pueden dejarse pedacitos de metal en la piel, los cuales tienen que extraerse mediante un doloroso procedimiento. Además, hay personas que pueden sufrir reacciones alérgicas al cromo con el que se niquelan los clips, lo cual requeriría que tomasen antibióticos. A veces la gente utiliza nitrógeno líquido en sus cuerpos, el cual se usa a menudo para marcar el ganado. Dado que el nitrógeno líquido es peligroso y difícil de conseguir, ni los profesionales utilizan este método. Debido a que el marcado implica el uso de fuego y quema mucho la piel, debería realizarse una detallada investigación antes de considerar hacerse una marca de este tipo.

«No hay manera, a falta de la cirugía plástica, de quitarse una marca con hierro. Es permanente»[5]. Es por eso que uno debería considerar todas las implicaciones y lamentos que pueden producirse después de hacerse una marca. El marcado con hierro candente, al igual que los tatuajes, a veces puede afectar a los adolescentes a la hora de conseguir empleo. Si las marcas están relacionadas con pandillas y la persona quiere salir de la misma, no puede quitarse esas marcas que hay en su cuerpo. Asimismo, las personas a veces juzgarán a otras basadas en su aspecto y las marcas pueden repugnarles.

Los adultos interesados pueden ayudar a los adolescentes a entender que no necesitan marcar sus cuerpos para que les acepten. Algunos adolescentes se hacen marcas para aliviar el estrés y el dolor que hay en sus vidas debido a la liberación de endorfinas. Algunos han denominado a eso «una elevación de endorfinas» (las endorfinas son proteínas en el cerebro que ayudan al cuerpo a soportar el dolor). En cambio, los adultos deberían ayudar a los adolescentes a sobreponerse a esos problemas de una manera positiva y asegurarles que se interesan por ellos y quieren ayudarles. Esto es amor en el más puro de los sentidos, no algo que se gana pasando por dolor y mutilación.

Los adolescentes necesitan comprender que Dios los ama a pesar de lo que hayan hecho. No tienen que ser como las personas que se describen en 1 Timoteo 4:2, «cuya conciencia está marcada con el hierro» (DHH). Cuando son salvos, Dios marca sus corazones de una manera que solo es visible para Él. No están en el exterior para que otros las observen; sin embargo, sus marcas los harán libres. Las marcas de Dios deberían ser evidentes mediante sus vidas para que la gente vea una diferencia. Los adultos interesados necesitan desafiar a los adolescentes a mantenerse alejados de esta conducta que tiene consecuencias permanentes e irreversibles.

Fraude

«El fraude es un atajo, y es uno bastante eficaz en muchos casos»[1].

LA CITA ANTERIOR de un veterano de diecisiete años en un instituto importante se hace eco de lo que cree la cultura juvenil actual acerca del fraude y la integridad académica. El fraude en la escuela ha alcanzado proporciones de epidemia, según los actuales estudios. En un informe realizado por el instituto de ética *Josephson*, los problemas del fraude, robo y mentira por parte de los alumnos del instituto han aumentado en comparación con la década pasada. En el informe, se les preguntó a 12.000 alumnos del instituto si habían copiado en exámenes el año anterior. La respuesta indicó que un 74% cometió fraude, comparado con un 61% en 1992[2].

¿Por qué este drástico aumento del fraude? Aunque hay muchas causas que pueden contribuir al respecto, entre ellas están la ansiedad de los alumnos por tener éxito en la clase a fin de que les acepten las mejores universidades, y tener seguridad económica en una sociedad que comunica que los ganadores lo obtienen todo. Otras razones dadas por los alumnos fueron:

1. todo el mundo lo hace;
2. presiones / demandas irrealistas de logro académico por parte del estado y las organizaciones educativas federales;

3. es el camino fácil para avanzar;
4. la tecnología (teléfonos celulares, cámaras en teléfonos celulares y la Internet) ha hecho que el engaño sea fácil[3].

Aunque tal vez esas razones se refuten con facilidad, puede que los adolescentes vean a sus padres cometer fraude en los impuestos o escuchar conversaciones de adultos acerca de cómo se ahorraron dinero engañando al sistema.

Sin embargo, la epidemia es real y crece a un ritmo alarmante. Una encuesta nacional realizada por *Rutgers Management Education Center* a 4.500 alumnos del instituto reveló que un 75% cometió fraude de una forma u otra. Más de un 50% de esos mismos alumnos plagiaron trabajos que encontraron en la Internet. Lo más inquietante de todo es que muchos alumnos no veían nada de malo en el fraude. Un 50% de los encuestados creía que copiar preguntas y respuestas en exámenes ni siquiera era cometer fraude. «Muchos alumnos no tienen un sentido de agravio moral en cuanto al fraude. Para muchos, la presión de ser bueno en lo académico y competir por buenas universidades ha hecho que el fraude sea una manera de sobrevivir en el instituto». Prestemos atención a la siguiente cita, ya que ofrece una gran perspectiva sobre el punto de vista moral de la juventud actual con respecto al fraude:

> Lo importante es avanzar [...] Cuanto mejores sean tus calificaciones, mejor es la escuela (universidad) en la que entras, y mejor te va en la vida. Si aprendes a tomar atajos para hacer eso, te ahorrarás tiempo, dinero y energía. En el mundo real, eso es lo que va a suceder. Tu mejor desempeño es lo que muestras. No lo moral que eres para llegar ahí[4].

Michael Josephson, presidente del instituto de ética *Josephson*, hizo la siguiente afirmación:

> La evidencia es que la disposición al fraude se ha convertido en la norma, y que los padres, maestros, entrenadores y hasta educadores religiosos no han

sido capaces de frenar la marea. Lo que asusta es que
tantos muchachos estén entrando en el mundo laboral
para llegar a ser ejecutivos, políticos, mecánicos de aviones
e inspectores nucleares con la tendencia y la destreza de
tramposos y ladrones[5].

Como se mencionó antes, el acceso a la información ha
contribuido a este aumento. Hace años, los que deseaban cometer
fraude recurrían a enciclopedias, copiaban tanta información como
necesitaran, y decían que era suya propia. Eso se consideraba plagio,
y lo sigue siendo. La reencarnación es mucho más fácil. Solo señalan,
hacen clic con el ratón, copian y pegan, le dan un nuevo formato, y
dicen que es suyo. Muchas páginas Web ofrecen vender documentos
sobre casi cualquier tema por $9.95 o $14.95 dólares por página. Una
de esas páginas Web contiene miles de documentos sobre diversos
temas que pueden descargarse con un clic del ratón, y hasta escriben
un trabajo en lugar de la persona basados en su tema y estilo. La
entrega de tales trabajos puede tardar de siete hasta treinta días.

A modo de aclaración: Una tendencia actual que va en aumento
por el uso de la tecnología es un «club de coartadas y excusas» que
ofrece sus servicios a usuarios de teléfonos celulares. Cierto número
de personas se unirá a un grupo (algunas redes tienen más de tres
mil miembros), todos extraños que se ayudan entre sí a la hora de
faltar al trabajo, incumplimiento de fechas, darle esquinazo a un
ser querido y proporcionar coartadas para cualquier ocasión. Esos
miembros usan sus teléfonos móviles para ocultar sus paraderos,
crear falsas coartadas y excusar su mala conducta. Los clubes les
permiten a sus miembros enviar mensajes de texto en masa a miles
de otros miembros que estén dispuestos a hacer llamadas. Cuando
un miembro dispuesto responde, el remitente y el ayudante idean
una mentira que utilizará el ayudante. Además, pueden descargarse
grabaciones en audio a los teléfonos móviles como ruido de fondo
durante las conversaciones para falsificar el paradero del que llama.
Tales sonidos, como el claxon de autos, sirenas de ambulancias o
el instrumental de un dentista pueden comprarse en varias páginas
Web por $2.50 o $3.00 cada uno[6].

Muchas escuelas contraatacan con el servicio de www.turnitin. com. Este servicio basado en la Internet les permite a los maestros enviar trabajos, y el servicio busca en la Web frases y secciones que sean iguales y regresa el trabajo dentro de cuarenta y ocho horas. Cada trabajo tiene códigos de colores que indican las partes plagiadas. Turnitin.com afirma que una tercera parte de todos los trabajos recibidos tiene alguna forma de plagio[7].

Por lo tanto, ¿qué podemos hacer? Algunos expertos creen que volver a establecer un sistema de honor en nuestras escuelas reduciría mucho el fraude, mientras que otros sostienen que los adultos deben marcar el camino en asuntos de integridad. Donald McCabe, de la Universidad Rutgers, hace la siguiente sugerencia: «Creo que los jóvenes hoy miran a los adultos y a la sociedad para obtener una brújula moral [...] y cuando ven la conducta que se produce, no entienden por qué tendrían que estar sujetos a un estándar más elevado»[8]. ¡Un pensamiento aleccionador! ¿Les pedimos a nuestros jóvenes que hagan o sean algo que no somos nosotros? Si nuestras palabras concordaran con nuestros actos, quizá nuestros jóvenes tomarían ese camino sin importar cuál fuera el costo.

Filipenses 4:8 deja claro que «consideren bien todo lo verdadero, todo lo justo». Hebreos 13:18 expresa un deseo que todo adolescente debiera tener: «Estamos seguros de tener la conciencia tranquila y queremos portarnos honradamente en todo».

El clubbing / La juerga

A LOS ADOLESCENTES de hoy les atrae cualquier cosa que implique música, luces brillantes y mucho movimiento. Les encantan las salas oscuras con música alta e ir a clubes para bailar y divertirse. Sin embargo, ¿es eso divertido en realidad o lo que se ve en las películas influye en los jóvenes? En la película *La chica de al lado*, una muchacha popular y un muchacho no tan popular idean un plan para que sus ex regresen para el gran baile. La pareja va de una actividad a otra en institutos, asistiendo a varias fiestas. Una noche van a un club, y parece una noche de inofensiva diversión. Al final se enamoran y no les importa lo que piensen los demás de ellos. Los adolescentes encuentran seguridad en la música, y los clubes son importantes escenarios para los amantes de la música. Los jóvenes pueden encontrar sus identidades en los medios de comunicación masivos, y a través de ellos, en especial cuando no se las proporcionan sus familias.

A muchos jóvenes les gusta ir a clubes para olvidarse de sus preocupaciones y de los problemas que afrontan. Michael Boston dice que «cuando están con sus amigos el sábado por la noche bailando juntos, es como si ninguna otra cosa importara en el mundo»[1]. Boston también dice que los clubes nocturnos se han convertido en uno de los lugares más comunes donde hacer vida social. Boston da otra razón por la cual a los jóvenes les atraen los clubes: «El hecho de que los clubes estén basados en torno a la juventud se debe a la falta de restricciones que se les demanda, mientras que los adultos tienen responsabilidades que mantener, como sostener a sus familias y conservar sus empleos, los jóvenes están casi siempre libres de responsabilidades y muchos tienen elevados ingresos que gastar para aliviar cualquier problema de dinero»[2].

Con sus ambientes muy diversos, las discotecas reúnen a muchas personas diferentes mediante su amor a la música. Boston dice que la música bailable ha sido la impulsora de la escena del club y se ha desarrollado muchísimo durante los últimos diez años.

El principal problema de los clubes en la actualidad es la bebida excesiva, las drogas y el constante contacto corporal que tiene lugar. Los clubes para jóvenes menores de veintiún años limitan el beber en exceso, pero no lo detienen por completo. «Como reflejo de un importante cambio en la conducta social en los Estados Unidos, los jóvenes en busca de placer ahora evitan las "drogas" tradicionales, como el alcohol y el tabaco por otros narcóticos»[3]. Las drogas en los Estados Unidos son cada vez más accesibles y populares entre la juventud en la actualidad. Los adolescentes pasan cocaína por éxtasis, *speed* [sulfato de anfetamina en polvo] y ketamina. Un muchacho adolescente que frecuente clubes a menudo recibe la influencia para que crea que no hay nada malo en acariciar y toquetear a una chica, mientras no tengan relaciones sexuales. Los adolescentes van a clubes con sus amigos para bailar, pero puede que conduzcan a algo más que baile cuando las cosas se ponen demasiado intensas. La presión de grupo es como un chantaje moral para algunos adolescentes.

Los adolescentes quizá no den muestras de actividades de *clubbing*. Los adultos pueden reconocer las señales del uso de drogas o de bebida en exceso, pero los adolescentes son capaces de tener esas fiestas en sus casas o en las casas de sus amigos. Las señales de haber bebido en exceso y del uso de drogas son: ojos inyectados en sangre, pupilas dilatadas, incapacidad de realizar tareas sencillas, como tocarse la nariz con los dedos, y estar fuera hasta la madrugada. Por lo general, los clubes tienen la mayor actividad desde las once de la noche hasta las cuatro de la madrugada. Otra pequeña señal, que tal vez no esté relacionada con un club, es la forma de vestir de los adolescentes, en especial de las chicas. Los ajustados pantalones y los bajos de cadera que las chicas llevan a los clubes son más inmodestos y llaman más la atención que muchas faldas. Otras tienden a «ser elegantes». Las chicas con frecuencia no llevan sostén debajo de sus tops. Las minifaldas son comunes. Las adolescentes también se ponen este tipo de ropa para ir a las escuelas públicas cada día, y cuando están con sus amigas, así que puede que esto no tenga nada que ver con los clubes.

La sociedad considera el *clubbing* como algo divertido que hacer el fin de semana para liberar estrés y apartar la mente del trabajo o de la escuela. El *clubbing* es una manera estupenda de conocer nuevas personas, bailar y beber. Para los adolescentes cristianos, el *clubbing* no muestra que son hijos de Dios. Pablo les ordena: «Huye de las malas pasiones de la juventud, y esmérate en seguir la justicia, la fe, el amor y la paz, junto con los que invocan al Señor con un corazón limpio» (2 Timoteo 2:22). Los cristianos tienen el llamado a un estándar más elevado que el del mundo. Se les manda que vivan vidas sin reproche, que sean santos como Cristo fue santo y que clamen al Señor con corazones puros. ¿Cómo pueden los cristianos vivir vidas sin reproche cuando están participando de la misma mentalidad del mundo y de las noches de beber en exceso en la ciudad? Cristo nos advierte: «Tengan cuidado, no sea que se les endurezca el corazón por el vicio, la embriaguez y las preocupaciones de esta vida. De otra manera, aquel día caerá de improviso sobre ustedes» (Lucas 21:34).

Los líderes de jóvenes cristianos tienen que establecer alternativas para atraer a los adolescentes a las actividades y fiestas de los viernes en la noche, en lugar de que los atraigan las bebidas, las drogas y los clubes. Una buena manera de atraer a los adolescentes es estableciendo cafés o clubes cristianos. Se puede invitar a grupos que toquen en directo y ofrecer cafés o batidos. Cada viernes en la noche puede abrirse de diez de la noche a dos o tres de la madrugada y tener diferentes temas, como la noche del *swing* o la noche de talentos. Debería haber espacio para que tenga el aspecto de una cafetería y añadir un escenario. Que sea en un ambiente con poca luz. Cristo nos ha mandado a los cristianos que estemos en el mundo, pero no seamos de él. Necesitamos salir de nuestras zonas de comodidad a fin de que los adolescentes tengan alternativas positivas los viernes en la noche además de ir a clubes, beber y usar drogas.

Deudas de
tarjetas de crédito

L OS ADOLESCENTES GASTARON más de ciento setenta y
dos mil millones de dólares en el año 2002. El adolescente promedio gasta alrededor de ciento cuatro dólares a la semana o
cinco mil cuatrocientos ocho dólares al año. Uno de cada tres alumnos del instituto lleva tarjetas de crédito, y eso sin contar las tarjetas
de débito[1].

Es difícil saber si los adolescentes tienen deudas de tarjeta de crédito
o no. Las empresas hoy en día ofrecen descuentos a los adolescentes si
estos piden la tarjeta de crédito de esa empresa. Por lo general, esa
tarjeta tiene una cantidad limitada de dinero disponible, pero cuando
los adolescentes poseen tarjetas de crédito de la mayoría de las tiendas
del centro comercial, es un poco difícil seguir el rastro. La idea de no
gastar dinero en efectivo es una característica tentadora... hasta que
llegan las facturas al mes siguiente. Eso causa los problemas de pagar
facturas demasiado tarde, hacer solo pagos mínimos cada mes, exceder
la cantidad de crédito, trabajar horas extras para pagar las facturas
de las tarjetas o utilizar una tarjeta de crédito para pagar otra. Los
adolescentes pagan la cantidad mínima de sus balances de crédito, y
eso hace que los intereses supongan una gran cantidad de su dinero, y
terminan intentando liquidarla siempre[2].

Algunos institutos ofrecen clases sobre el uso de tarjetas de crédito y los ejemplos positivos y negativos de eso. El alumno universitario promedio no graduado tiene tres tarjetas de crédito y dos mil trescientos veintisiete dólares de deuda de esas tarjetas[3]. Este es un gran problema tanto para alumnos del instituto como para universitarios. Aunque los alumnos del instituto puede que sigan teniendo la seguridad de sus padres, los universitarios se encuentran jugando a «alcanzar» y tal vez dejen los estudios debido a las finanzas.

Los ministros de jóvenes o los padres pueden aconsejar a los adolescentes acerca del uso de las tarjetas de crédito. En primer lugar, los jóvenes deberían recordar que las tarjetas de crédito no son dinero gratuito y que deberían cargarlas solo con lo que puedan pagar. En segundo lugar, deberían pagar las facturas por completo y no solo la cantidad mínima a fin de evitar las tasas de interés. Puede parecer que no están pagando mucho, pero pagan más debido a las tasas de interés. Por último, deberían asumir la responsabilidad por lo que gastan. No deberían utilizar tarjetas de crédito solo porque no pueden permitirse productos. Si no pueden permitirse comprar algo con lo que tienen, es probable que no puedan pagar cuando lleguen las facturas de las tarjetas[4].

Las deudas son capaces de controlar la vida de una persona. Cuando los jóvenes quieren algo, la cultura actual los impulsa a obtenerlo. Las tarjetas de crédito hacen que sea fácil para los jóvenes obtener lo que quieren, y la mayoría de ellos no se preocupan por los costos hasta que llegan las facturas por correo, y entonces realizan el pago mínimo. Pablo dijo: «No tengan deudas pendientes con nadie, a no ser la de amarse unos a otros. De hecho, quien ama al prójimo ha cumplido la ley» (Romanos 13:8). Esto nos dice que nuestras únicas deudas deberían ser que nos amemos los unos a los otros. No es malo pedir dinero prestado, pero las deudas deberían pagarse con prontitud.

Los adultos interesados deberían enseñar a los adolescentes que las tarjetas de crédito no son malas en sí mismas. Es más, algunas personas las utilizan para ser organizados en sus gastos sin llevar dinero en efectivo. Esto es útil solo si los jóvenes pagan las facturas por completo cuando llegan por correo. Pagar las cantidades mínimas hace que los intereses sean mayores y, al final, pagarán más por los objetos que querían tener y no podían pasar sin ellos. Las deudas de las tarjetas de crédito pueden alcanzar a un adolescente con mucha rapidez y será difícil librarse de ellas. La deuda es algo que comienza con la codicia, y la codicia es difícil de controlar.

Cortes

«No te haces cortes para morir; te cortas para aliviar el dolor que te está causando tu vida»[1].

LA DEFORMACIÓN física voluntaria es una frase muy amplia que incluye diferentes formas de causarse daño uno mismo de manera intencional. También se denomina daño a uno mismo, violencia sobre uno mismo y abuso de uno mismo. «El daño a uno mismo puede definirse como el intento deliberado de causar daño al cuerpo propio, y la herida es casi siempre suficiente para causarles daño a los tejidos»[2]. La forma más común de mutilación voluntaria es cuando las personas se cortan la piel con objetos afilados hasta llegar a sangrar. Otras formas incluyen: mordiscos, rotura de huesos, interferencia en la cura de heridas, tirarse del cabello, arañarse, arrancarse piel, quemarse o, en casos extremos, amputación de partes del cuerpo. Las personas que hacen tales cosas no las consideran mutilaciones si el propósito es «gratificación sexual, decoración del cuerpo (*piercing*, tatuajes), encajar en un grupo o ser agradable»[3].

Desde principios de los años noventa, la deformación física voluntaria ha ido en aumento y está en su punto máximo entre las muchachas adolescentes, en especial a quienes se les diagnostican con trastornos disociativos de personalidad límite. Los estudios dicen que los casos de mutilación voluntaria «ocurridos en adolescentes y adultos jóvenes entre los quince y los treinta y cinco años de edad se calculan en un cuarenta por ciento»[4]. De esos, «más de la mitad de quienes se mutilan sufrieron abusos sexuales en su infancia, y muchos también padecen trastornos alimenticios»[5]. Los investigadores dicen que «muchas personas que se hacen daño a sí mismas tienen un historial de abuso físico, pero ese no siempre es el caso. Algunos pueden provenir de hogares destruidos, de hogares donde había alcoholismo, tienen padres ausentes en lo emocional, etc.»[6]. Además, hay otros factores que pueden ser la causa del daño a uno mismo: tensión emocional, incomodidad física, dolor, baja autoestima, sufrimiento, ira y soledad.

La mutilación voluntaria reduce la tensión mental y física con rapidez. Los estudios sugieren que cuando los adolescentes se dañan a sí mismos, están experimentando tensiones mentales o físicas y el daño los regresa a estados nivelados con rapidez. «Sienten una fuerte e incómoda emoción, no saben cómo manejarla y saben que hacerse daño a sí mismos reduciría la incomodidad con mucha rapidez»[7].

La mutilación voluntaria expresa sentimientos. La mayoría de los jóvenes que se hacen daño nunca han sentido validados sus sentimientos. Algunos aprendieron a temprana edad que sus sentimientos y la interpretación de los mismos estaban mal. Los padres no les permitían expresar sus sentimientos y no se les permitían ciertos sentimientos. «En hogares abusivos, quizá se les castigaran con severidad por expresar ciertos pensamientos y sentimientos. Al mismo tiempo, no tenían buenos modelos a seguir para enfrentarlo»[8]. Si los adolescentes carecen de adecuados modelos a seguir para aprender cómo hacerle frente a los sentimientos, nunca aprenden a manejar situaciones y emociones difíciles. Consideran el daño propio como una manera de tratar esos sentimientos y emociones, en especial la ira con alguna persona o cosa.

La mutilación voluntaria libera endorfinas que son los analgésicos naturales del cuerpo. Dicha mutilación conduce a los adolescentes a «elevaciones» naturales o a un sentimiento de tranquilidad. «En episodios disociativos, este es un proceso en el que la mente desdobla, o disocia, ciertos recuerdos y pensamientos que son demasiado dolorosos para mantenerlos en la mente consciente»[9]. Esos episodios pueden hacer que el joven se sienta adormecido o incluso como un «muerto viviente». Así, el daño personal les ayuda a sentirse vivos.

La mutilación voluntaria no es un intento de suicidio fallido. Según los expertos, «el daño a uno mismo es un mecanismo inadecuado de hacer frente a las situaciones, una manera de mantenerse vivo [...] Es una forma de evitar suicidarse [...] que alivia su impulso hacia el suicidio [...] Algunas personas que se mutilan sí intentan suicidarse más tarde. Casi siempre utilizan un método diferente a su método preferido de mutilación voluntaria»[10].

Los síntomas de las personas que se dañan a sí mismas pueden incluir «llevar ropa ancha o de manga larga, aun cuando haga calor, y una necesidad de intimidad poco normal [...] Con frecuencia son renuentes a cambiarse de ropa o a desvestirse cuando hay personas a su alrededor»[11]. Sin embargo, no todos los adolescentes que visten con ropa ancha o de manga larga, o quienes son tímidos a la hora de mostrar sus cuerpos delante de otros, se hacen daño a sí mismos.

A quienes participan de la mutilación voluntaria se les hace difícil admitir ante alguien que se hacen daño a sí mismos, pues un sentimiento de vergüenza y de culpabilidad acompaña a esta conducta. «Muchas personas que se hacen daño a sí mismas lo mantienen en secreto porque les parece que están locas y que son malvadas. Sienten que si se lo cuentan a alguien, podrían encerrarles»[12]. Cuando los jóvenes hablen acerca de sus luchas con la mutilación voluntaria, los adultos que se interesan deberían escuchar y no parecer asombrados ni juzgarlos. Dios los ama y se interesa por ellos. Por lo tanto, los adultos deberían ayudarlos a obtener la ayuda que necesitan y amarlos como los ama Dios.

Zacarías 13:6 hace una interesante pregunta: «¿Por qué tienes esas heridas en las manos?». Una respuesta que todo adolescente debería considerar se encuentra en Filipenses 1:20: «Ahora como siempre, Cristo será exaltado en mi cuerpo».

CAPÍTULO

9

Violación en una cita

E S ATERRADOR. Hace daño de manera física, emocional y mental, y les sucede a los adolescentes todo el tiempo. Es la violación durante una cita, también muy conocida como violación por un conocido, donde a las víctimas las obligan o engañan para tener relaciones sexuales en contra de su voluntad. Además, los extraños no realizan este tipo de violación. Por lo general, las víctimas conocen y confían en esos perpetradores. Es más, las víctimas saben quiénes son sus violadores en un setenta y cinco por ciento, y de ahí que se le denomine violación durante una cita. La gran mayoría de las violaciones durante citas les suceden a muchachas adolescentes[1].

¿Qué es una violación en una cita? «Violación en una cita es relación sexual obligada o coaccionada entre compañeros, amigos, amigos de amigos o conocidos en general»[2]. Hasta los años ochenta, la violación durante una cita no obtenía la atención pública que demandaba y que aún demanda hasta el día de hoy. Cada vez más personas hablan en su contra, dan testimonios al respecto y dan pasos para luchar en su contra. Aun así, la violación durante una cita es en la actualidad el delito que menos se denuncia. En un estudio realizado por Mary Koss y sus colegas con unas siete mil personas de unos treinta y tantos años de edad, solo un cinco por ciento denunció lo sucedido a la policía. Un cuarenta y dos por ciento de las víctimas no le contó a nadie lo sucedido[3]. Se necesitan más voces que se levanten contra este problema que plaga el país.

Las drogas para perpetrar una violación durante una cita están también en el mercado. Estas drogas no tienen olor ni sabor, y hacen efecto casi de inmediato. Se disuelven enseguida en bebidas, haciendo que sean productos en demanda para clubes y bares. Tales drogas dejan a las víctimas «dispuestas a la sugestión, débiles de manera física y quizá lo más preocupante de todo, sin recuerdos de los hechos que se producen después que hace efecto la droga»[4].

Los familiares y amigos preocupados por este problema deberían ser conscientes de las señales de alarma de un potencial violador: inmadurez, falta de sentimientos por otras personas, celos e inclinaciones posesivas, pasar por alto los deseos de la muchacha y hacerla sentir culpable por no estar de acuerdo, mayor hostilidad e intentos de aislar a la víctima, insistencia en pasar tiempo a solas durante una primera cita, y una aparente baja opinión del valor de una mujer.

Las víctimas con frecuencia experimentan y expresan depresión, pensamientos y tendencias suicidas, trastornos alimenticios, mutilación voluntaria, timidez y temores irracionales, y una mayor dificultad para confiar en alguien. Desde luego, esas señales no solo indican una violación durante una cita, pero son respuestas comunes y deberían tomarse en serio.

Aunque las circunstancias de las violaciones en citas difieren unas de otras, se aplican tres elementos comunes:

▶ El primero es el lugar. Por lo general, el violador lleva a la víctima a un lugar en el que ella esté aislada y ninguna persona pueda oírla. En el *Manual para consejeros de jóvenes*, Josh McDowell cuenta de un joven que llevó a una alumna universitaria de primer año a un punto alejado en un lago y la violó.

▶ Segundo, el violador no es un total extraño, sino que a menudo es alguien en quien confía la víctima.

▶ El tercer elemento común es la presión que implica. Ya sea de manera física, emocional, psicológica, o una combinación, el violador intenta derrumbar a la víctima hasta que se sienta indefensa por completo. Ella a menudo comenzará a pensar que la violación es culpa suya.

▶ Además, una tendencia en aumento en las violaciones hoy en día implica drogar a la víctima con antelación, ya sea por poner algo en su bebida o por algún otro medio.

Son muchas las cicatrices que quedan en las vidas de las víctimas de violación. Desde el punto de vista físico, puede producirse un embarazo con sus complicaciones, como el estrés de enfrentarse a los seres queridos y decidir qué hacer con el bebé. Se producen muchos abortos por embarazos tras una violación. Otro resultado físico es la posibilidad de que la víctima contraiga una enfermedad por transmisión sexual del violador. Estos dos resultados físicos afectan el resto de la vida de la víctima. Las cicatrices emocionales y psicológicas son muchas, aun si la víctima resulta salir físicamente bien. Es posible que caiga en depresión y desarrolle algún trastorno, como anorexia o hacerse cortes. Pueden cambiar sus relaciones con su familia y amigos, ahora que es más recelosa y que tal vez la miren de manera diferente. Esto hace que la escuela, la iglesia y el trabajo sean más difíciles. A pesar de lo fuerte que crea ser la adolescente, los temores permanecen en ella, y hasta la acosan en sueños.

La clave para la violación en una cita es la prevención. Una muchacha puede dar diferentes pasos. «Hablar con franqueza sobre la relación sexual y seguir hablando a medida que profundiza en una relación. Tener cuidado de no permitir que ni el alcohol ni otras drogas disminuyan su capacidad de ocuparse de sí misma y de tomar decisiones sensatas»[5]. Esta misma fuente también afirma: «Confía en tus sentimientos más profundos. Si un lugar o el modo en que él actúa te pone nerviosa o incómoda, vete»[6].

Los adultos que se interesan no podrán prevenir todas las situaciones de violaciones en citas, pero pueden ayudar a evitar muchas haciendo unas cuantas cosas. En primer lugar, pueden hablar con sus hijos, en sus barrios, en las iglesias y en grupos de jóvenes acerca del peligro e informarles de las señales de advertencia. Pueden ofrecer consejos para tener citas seguras, dar ideas de qué hacer si les sucede, cómo gritar: ¡Fuego!, en lugar de: ¡Socorro!, y hablar de maneras de defenderse, y qué hacer tras la violación si esta se produce. Además, si se produce la violación, lo más probable es que las víctimas necesiten consejería y grupos de apoyo. Es aquí donde la familia, los amigos y quienes trabajan con jóvenes pueden ser determinantes en las víctimas de violación. Algunas muchachas necesitan saber que no son personas diferentes debido a la violación, que no se han convertido en extrañas para sus amigos después que sucediera eso. Necesitan personas que se interesen por ellas.

Los dos versículos siguientes ofrecen aliento a víctimas de violaciones durante una cita: «Todo esto prueba que el juicio de Dios es justo, y por tanto él los considera dignos de su reino, por el cual están sufriendo. Dios, que es justo, pagará con sufrimiento a quienes los hacen sufrir a ustedes. Y a ustedes que sufren, les dará descanso, lo mismo que a nosotros» (2 Tesalonicenses 1:5-7). «Sean fuertes y valientes. No teman ni se asusten ante esas naciones, pues el SEÑOR su Dios siempre los acompañará; nunca los dejará ni los abandonará» (Deuteronomio 31:6).

10

Depresión

L AS ESTADÍSTICAS MUESTRAN un alarmante aumento
en la depresión y el suicidio entre los adolescentes en la actualidad. El *Heritage Center for Data Analysis* dice que «cerca de
tres mil adolescentes se suicidan cada año, y a un noventa por ciento
se les ha diagnosticado una enfermedad de salud mental»[1]. Padres,
maestros y quienes trabajan con jóvenes deberían aprender acerca de
esta nueva epidemia que está afligiendo a nuestros jóvenes. El Instituto Nacional de Salud Mental calcula que el ocho por ciento de los
adolescentes y el dos por ciento de los niños (algunos tan pequeños
como de cuatro años) tienen síntomas de depresión. Con el añadido
estrés del divorcio, unas altas expectativas académicas y diversas presiones sociales (tener cierto aspecto o estar en el grupo adecuado), se
empuja a los adolescentes al extremo[2].

La epidemia que ha golpeado a la cultura adolescente se define
como «un desequilibrio químico en el cerebro que causa pensamientos autodestructivos, una mala autoestima, ira, tristeza y letargo que
pueden llevar a tener adolescentes suicidas o afligidos»[3]. A fin de entender la depresión, uno debe ver esta enfermedad, así como aprender
su definición. Aun con el conocimiento de esta definición, deberíamos entender la causa de la depresión. «La depresión con frecuencia
tiene una base física. Al nivel más sencillo, sabemos que la falta de
sueño, el ejercicio insuficiente, los efectos secundarios de las drogas, las

enfermedades físicas o una dieta inadecuada pueden crear depresión. Otras influencias físicas, como un mal funcionamiento neuroquímico, tumores cerebrales o trastornos glandulares, son creadoras más complicadas de la depresión. Hay evidencia de que la depresión existe en familias y puede tener una base genética», según Gary Collins en su libro, *Christian Counseling: A Comprehensive Guide*.

Al igual que con cualquier otra enfermedad, los padres y quienes trabajan con jóvenes deberían ser conscientes de las señales de advertencia. Las señales de depresión deberían durar más de dos semanas, y cinco semanas o más deberían ser evidencias al mismo tiempo.

1. Ligeras molestias físicas como dolores de cabeza
2. Repetidas ausencias en la escuela
3. Calificaciones más bajas
4. Ataques de gritos y llantos
5. Conducta imprudente
6. Intensa sensibilidad al rechazo y el fracaso
7. Pérdida de interés en los amigos

Si estas señales son evidentes en la vida de un adolescente, los padres u otros adultos deberían buscarles ayuda profesional[4].

Proporcionar un adecuado diagnóstico y tratamiento para los adolescentes depresivos puede ser abrumador. Los estudios muestran que «uno de cada veinte adolescentes tendrá un episodio depresivo, y casi cuatro de cada cinco no recibirán tratamiento»[5]. Esta inquietante estadística es realista, pues los profesionales en el campo de los trastornos mentales a menudo no reconocen los síntomas. Muchos casos se diagnostican mal como mononucleosis o síndrome de fatiga crónica, ya que algunos síntomas y conductas son similares.

Encontrar a los médicos adecuados para adolescentes que padecen depresión puede ser una tarea difícil. «En la actualidad, hay solo unos siete mil médicos de niños y adolescentes en el país, muchos menos de los que la mayoría de los expertos en salud mental dicen que se requieren»[6]. Este factor está afectando a los adolescentes que padecen trastornos mentales, en especial a los que están en comunidades de bajos ingresos y en ambientes muy traumáticos, como de violencia y asaltos sexuales[7].

Con este conocimiento, los centros de consejería universitarios ahora están tratando a adolescentes depresivos. Una encuesta nacional realizada en 2001 produjo estos resultados: «Un ochenta y cinco por ciento de los centros de consejería universitarios están informando de un aumento en el número de alumnos que ven "con graves problemas psicológicos" [...] desde un cincuenta y seis por ciento en 1998»[8]. Los consejeros han descubierto que esos jóvenes tratan con problemas más profundos.

Los adolescentes deprimidos ven en la actividad sexual una manera de escapar al profundo agujero que se ha apoderado de sus vidas. Al querer sentirse amados, aceptados e importantes, utilizan la relación sexual para encontrar realización. No se dan cuenta de que la relación sexual prematrimonial solo conduce a estrés emocional al igual que a infelicidad[9].

Sin tratamiento profesional, la intervención de adultos, relaciones positivas con adultos o compañeros a los que rindan cuentas en lo espiritual, los adolescentes deprimidos seguirán teniendo un elevado riesgo de fracaso escolar, aislamiento social, participación en la relación sexual, automedicación (drogas y alcohol) y hasta suicidio (la tercera causa principal de muerte entre personas de entre diez a veinte años de edad). Las depresiones más graves, como la enfermedad bipolar y los trastornos de personalidad, son debilitadoras de manera física y mental[10].

Los siguientes pasajes bíblicos pueden ofrecer esperanza a adolescentes deprimidos:

«La angustia abate el corazón del hombre, pero una palabra amable lo alegra» (Proverbios 12:25).

«Humíllense, pues, bajo la poderosa mano de Dios, para que él los exalte a su debido tiempo. Depositen en él toda ansiedad, porque él cuida de ustedes» (1 Pedro 5:6-7).

«No seas sabio en tu propia opinión; más bien, teme al SEÑOR y huye del mal. Esto infundirá salud a tu cuerpo y fortalecerá tu ser» (Proverbios 3:7-8).

Desde un punto de vista práctico, vale la pena recomendar estas sugerencias a los jóvenes agobiados por la depresión:

Confesar y abandonar el pecado. El sencillo acto espiritual de confesar los pecados puede comenzar a sacar a las personas de la depresión. En algunos casos, no solo deberían confesarlos a Dios, sino también a personas en quienes confíen. Para evitar que vuelvan a producirse esos pecados, los adolescentes deberían, sin duda, cambiar sus estilos de vida.

Dormir lo suficiente. La mayoría de los adolescentes sienten que son invencibles, pero una carencia de sueño les alcanza al final. Desde luego, algunas veces sus vidas sociales o los requisitos educativos les demandan quedarse despiertos durante largas horas, pero privarse de horas de sueño aumenta el riesgo de depresión.

Dejar de preocuparse. Se dice que el noventa y ocho por ciento de las cosas por las que nos preocupamos nunca suceden. La preocupación nunca logra nada. Esta inactiva y dócil respuesta no causa otra cosa sino alteraciones físicas y mentales para las personas que se preocupan. En cambio, deberíamos alentar a los adolescentes a que permitan que la preocupación desencadene una respuesta como la oración o la participación activa.

Escuchar los mensajes adecuados. La buena música nos eleva el ánimo. En lugar de escuchar música de estilo «*gangsta* rap basura con sonido vibrante de guitarras destrozadas y desconectadas de la adoración», los adolescentes deberían escuchar un estilo relajante. Con las muchas opciones disponibles en la música de adoración, los jóvenes pueden encontrar música que ayude a su estado mental y también espiritual. Asimismo, necesitan escuchar a las personas adecuadas que les den ánimo y los alienten.

Estar con las personas adecuadas. Si los adolescentes se mezclan con personas deprimidas, también se deprimirán. Puede que necesiten cambiar de amigos y estar alrededor de quienes los alienten y los edifiquen, quizá quienes sean justo lo opuesto a lo que son ellos.

Hacer algo divertido. Hay que alentar a los adolescentes a que salgan de su rutina y participen en actividades extracurriculares, pasatiempos, trabajo voluntario o que ayuden a personas. Eso hace que aparten su mente de sí mismos y la proyecten en otros. Salir de su entorno, aunque sea durante un corto período, hará mucho para ayudar a su estado mental.

Ejercicio. La evidencia médica muestra que los ejercicios vigorosos le dan a la gente un impulso natural en su estado mental. Por lo tanto, aliente a los adolescentes a que se levanten y se muevan. Deberían evitar estar todo el tiempo sentados en el sofá viendo televisión, jugando videojuegos o en la computadora. Deberían caminar, correr, nadar, montar en bicicleta, hacer senderismo o escalar.

Obtener ayuda profesional. Los adolescentes deprimidos quizá necesiten ver a sus pastores, médicos o consejeros profesionales. Si la depresión persiste, no deberían atravesarla solos.

Trastornos alimenticios

LOS TRASTORNOS ALIMENTICIOS afectan a un 20% de los adolescentes. Cerca del 75% de las mujeres, de peso y tamaño medios, creen que tienen sobrepeso. Alrededor del 90% de ellas sobrestima su propia talla[1]. Un artículo en la revista *Esquire* revela una aterradora opinión de mujeres e imagen corporal. En una reciente encuesta, la revista informó de que el 54,3% de las mujeres preferirían que un camión las pasara por encima que engordar 60 kilos[2]. Muchas adolescentes acuden a medidas extremas para combatir cualquier temida ganancia de peso. En casos más moderados, las jóvenes batallan contra el temor obsesionándose con la nutrición y los ejercicios excesivos. En casos más extremos, esas jóvenes caen presas de peligrosos trastornos alimenticios, como la anorexia nerviosa y la bulimia, entre los más comunes.

Las personas que batallan contra la anorexia nerviosa acuden a medidas extremas para quitarse peso. No solo se obsesionan con observar bien lo que comen y hacer ejercicio, sino que también puede que se atiborren y después vomiten. Tienden a tener una mala autoestima o pierden el control en esferas de sus vidas, de modo que recurren a esto como un medio de obtener control. Con frecuencia utilizan pastillas dietéticas para aliviar el hambre o laxantes para que los alimentos salgan de sus sistemas digestivos. Los individuos anoréxicos no están satisfechos con el peso y la altura normales y mínimos para su edad, sino que tienen un gran temor a ganar peso aunque estén faltos de peso. Los varones anoréxicos tienen disminuido su impulso sexual, y las mujeres a menudo pierden al menos tres menstruaciones seguidas. La definición literal de anorexia es una pérdida nerviosa de apetito y con frecuencia se caracteriza por extremos dolores de hambre. Es literalmente dejarse morir de hambre. La edad media para el comienzo de la anorexia es de diecisiete años. La anorexia afecta a cerca de una de cada ciento cincuenta mujeres en los Estados Unidos, y alrededor de un uno por ciento de todas las adolescentes. Este trastorno tiene efectos drásticos en el equilibrio hormonal, el pulso, el latido del corazón, la temperatura y los ciclos menstruales, y puede alargarse durante un período de tres a cuatro años. Algunos estudios muestran que más o menos un cinco por ciento de todas las personas con diagnósticos de anorexia mueren al final por la enfermedad[3]. Otros estudios han demostrado que los índices de muerte se elevan hasta un veinte por ciento y se calcula que el suicidio comprende a la mitad de las muertes por anorexia.

La bulimia se define como un hambre insaciable, y en la mayoría de los casos se caracteriza por repetidos ciclos de comer en exceso seguido de cierta compensación, como el vómito, abuso de laxantes y diuréticos, ayunos o ejercicio excesivo. Al igual que la anorexia nerviosa, quienes batallan contra esto tienen períodos de comer en exceso y luego purgar o de ayunar de todo alimento a la vez. Contrario a los que batallan contra la anorexia, la bulimia viene y va en esfuerzos de control en el comer en exceso o no comer. Los bulímicos se sienten como si no supieran cuándo dejar de comer. Este trastorno se encuentra en un 0,5 al 2% de adolescentes y mujeres adultas jóvenes[4]. Tienen estilos de vida ocupados para contrarrestar sus conductas alimenticias. Las personas que batallan contra la bulimia se sienten aisladas y deprimidas, y tienen una baja autoestima. Por lo general, la persona bulímica está dentro de un peso medio con ligeras fluctuaciones debido a las purgas. Aunque la pérdida de peso no es tan extrema y amenazante como en la anorexia, los efectos incluyen: pérdida de potasio, deterioro del esmalte dental, dolor abdominal, problemas de riñón, deshidratación, desequilibrios electrolíticos e irregularidades en la audición. A diferencia de la anorexia, las jóvenes que sufren de bulimia a menudo son conscientes de sus anormales patrones alimenticios y sufren más de autocrítica y depresión[5].

Comer en exceso es un nuevo trastorno alimenticio oficial, pero plaga a millones de estadounidenses. Al igual que la bulimia, los individuos consumirán inmensas cantidades de alimentos de una vez, pero no lo purgarán ni usarán laxantes. Comen hasta sentirse incómodamente llenos, aun cuando no tengan hambre. Casi siempre comen solos porque se avergüenzan de la cantidad de alimentos que consumen. Comer en exceso puede producir problemas emocionales, entre los cuales se incluyen sentirse asqueado, deprimido o culpable[6]. Los problemas de salud son: obesidad, diabetes, alta tensión arterial, alto colesterol, derrames cerebrales e irregularidades en la menstruación.

Otro trastorno alimenticio es el comer en exceso de manera compulsiva cuando las personas distorsionan su deseo natural de alimentarse. Al igual que comer en exceso, los individuos que comen de manera compulsiva consumen una cantidad excesiva de alimentos, pero eso continúa durante algún tiempo y con frecuencia va acompañado de vergüenza y lamento.

Según las estadísticas en el libro de Lee Parrott, *Helping the Struggling Adolescent*, quienes sufren sobre todo de trastornos alimenticios son adolescentes de clase media, mujeres blancas y de peso medio. Los factores más comunes que lo precipitan incluyen: estrés, soledad, conflicto interpersonal, depresión, aburrimiento, transiciones en el desarrollo o tensión acumulada por continuos intentos de hacer dieta estricta[7]. Patricia Davis también cree que los ambientes familiares pueden ser un factor. «Las familias de muchachas con trastornos alimenticios tienden a ser perfeccionistas, con altos logros y no toleran el conflicto. Con frecuencia son incapaces de aceptar diferencias en los familiares y les molestan esos que tratan de volar con sus propias alas»[8].

Estos variados trastornos alimenticios tienen causas similares: baja autoestima, perfeccionismo, ira, depresión, ansiedad, soledad y una falta de control. El mundo presiona a los adolescentes a estar delgados y tener cuerpos perfectos con su énfasis en el aspecto exterior como lo opuesto al interior. Los problemas personales también pueden causar estos trastornos, como obstáculos para expresar sentimientos y emociones, problemas familiares o problemas de relaciones, un historial de ser objeto de burlas debido al peso y un historial de abuso sexual o físico.

Los adultos que se interesan necesitan entender lo grave que es este problema entre los adolescentes hoy en día y cómo combatirlo dándoles aliento en lugar de derribarlos. Si quienes trabajan con jóvenes y los padres edifican la autoestima en dichos adolescentes, eso contrarrestará las imágenes negativas que ellos ven y oyen.

La Biblia puede dar esperanza a quienes padecen trastornos alimenticios. En primer lugar, Dios puede liberarlos de esta atadura en sus vidas. «Porque el Señor oye a los necesitados, y no desdeña a su pueblo cautivo» (Salmo 69:33). «El Señor hace justicia a los oprimidos, da de comer a los hambrientos y pone en libertad a los cautivos» (Salmo 146:7).

En segundo lugar, no tienen por qué avergonzarse de sí mismos debido a que Dios los creó y los aprueba. «Esfuérzate por presentarte a Dios aprobado, como obrero que no tiene de qué avergonzarse y que interpreta rectamente la palabra de verdad» (2 Timoteo 2:15).

En tercer lugar, las personas con trastornos alimenticios pueden pedirle al Señor sanidad. «Él fue traspasado por nuestras rebeliones, y molido por nuestras iniquidades; sobre él recayó el castigo, precio de nuestra paz, y gracias a sus heridas fuimos sanados» (Isaías 53:5). «Pero yo te restauraré y sanaré tus heridas —afirma el Señor— porque te han llamado la Desechada, la pobre Sión, la que a nadie le importa» (Jeremías 30:17).

En cuarto lugar, los adultos que se interesan deberían orar por sanidad para esos adolescentes. «¿Está enfermo alguno de ustedes? Haga llamar a los ancianos de la iglesia para que oren por él y lo unjan con aceite en el nombre del Señor. La oración de fe sanará al enfermo y el Señor lo levantará. Y si ha pecado, su pecado se le perdonará. Por eso, confiésense unos a otros sus pecados, y oren unos por otros, para que sean sanados. La oración del justo es poderosa y eficaz» (Santiago 5:14-16).

CAPÍTULO

12

Violencia femenina

DURANTE LOS ÚLTIMOS cinco años, las adolescentes han cometido cada vez más actos de violencia, todo desde meterse con compañeras de clase hasta coerción sexual y asesinato. En 1995, los casos de violencia de adolescentes cometidos por mujeres era uno de cada diez cometidos por muchachos. Hoy en día, esos actos han aumentado hasta uno de cada cuatro. Consideremos lo siguiente:

▶ Las encuestas revelan que entre el 30 y el 40% de los adolescentes varones y del 16 al 32% de las adolescentes dicen haber cometido graves delitos violentos a los 17 años de edad[1].

▶ Los abogados fiscales en el condado de Howard, Arkansas, han decidido tratar como adulta a una muchacha de catorce años acusada de asesinato. Al parecer, la sospechosa ayudó a facilitar y ocultar un robo que resultó en los disparos y la muerte de George Cook, de setenta y nueve años, por parte del novio de la muchacha. La adolescente podría recibir una sentencia máxima de cadena perpetua si la condenan como adulta. Norman Cox, su abogado, ha presentado una moción para hacer regresar el caso al tribunal de menores y planea pedir una evaluación psicológica de su joven cliente. Cox ha recibido una carta firmada por los maestros de la muchacha que describen cómo sus calificaciones y su conducta en la escuela disminuyeron después que la volvieran a entregar a la custodia de su madre, que estuvo en la cárcel[2].

▶ Las alumnas de seis escuelas católicas de primaria en Saint Louis, Missouri, planean tomar parte en un nuevo programa contra el matonismo, financiado con fondos federales por el capítulo local del Concejo Nacional sobre Alcoholismo y Abuso de Drogas. «Girl Talk» tiene como objetivo enseñarles a las muchachas en los grados quinto hasta octavo cómo edificar autoestima y comunicarse unas con otras de maneras respetuosas y no violentas. Además, para abordar la violencia física, el programa incluirá «amenazas, intimidación, agresión verbal, murmuración, mentiras y rumores», según la líder del programa, Harriet Kopolow. Un personal calificado ayudará también a los educadores y padres a manejar esos problemas entre las muchachas. El programa se está financiando con una beca anual de ciento cincuenta mil dólares por dos años por parte del Departamento de Salud y Servicios Humanos de los Estados Unidos. Si tiene éxito, podría utilizarse como modelo para otras escuelas de la zona, tanto públicas como privadas. Una parte del dinero de la beca también se dirigirá a una evaluación conducida por la universidad de Missouri sobre los resultados del programa[3].

▶ Los investigadores que estudian a pacientes entre ocho y catorce años de edad que son tratadas de heridas de peleas en el hospital infantil de Filadelfia han descubierto que las muchachas tienen seis veces más probabilidades que los muchachos de pelear en venganza por conflictos anteriores. Los estudios realizados por la Dra. Cynthia J. Mollen encuestaron a ciento noventa niños y niñas para ver si las diferencias con base en el género estaban entre las causas y los métodos de las peleas. Los resultados, publicados en *Archives of Pediatrics and Adolescent Medicine*, revelan que las muchachas estaban implicadas en unos cuatro de cada diez incidentes violentos y tendían a pelear por quejas anteriores más que los muchachos. Mollen y sus colegas no identifican una razón clara para esta diferencia, pero observan que los descubrimientos podrían ayudar a los padres y educadores a prevenir las peleas entre muchachas enseñándoles a adquirir mejores destrezas en el manejo de conflictos[4].

Imágenes gráficas de muchachas del instituto dándose patadas, puñetazos y mojándose unas a otras con todo, desde vísceras de pescado, hasta heces en un ritual de novatadas en las afueras de Chicago, conmocionaron al país. Este rito de pasajes llevó a cinco muchachas de clase media al hospital. «Somos un país que no quiere creer que sus muchachas son agresivas», dice Rachel Simmons, autora de *Enemigas íntimas*. «No tengo ninguna duda de que este es uno de los incontables incidentes de agresiones [de muchachas]». La mayoría de la atención hacia la agresión entre muchachas adolescentes se ha centrado en las brutales pandillas y el chismorreo que definen los mundos de muchas chicas del instituto. Sin embargo, la novatada de Northbrook, dice Simmons, va más allá de esas dañinas tácticas a la necesidad de aceptación que se forja en la novatada. «Es un rito de iniciación», dice ella. «Tú llegas a ser como nosotras si te denigras y te humillas a ti misma, si nosotras te rebajamos. Entonces la recompensa es que llegas a ser como nosotras».

Las autoridades dicen que esto es sintomático de una inquietante tendencia en el país: las muchachas están recurriendo a menudo a la violencia y con aterradora intensidad. «Estamos viendo a muchachas hacer cosas ahora de las que nosotros solíamos disuadir a los muchachos», dijo el ex jefe de policía de la escuela Baltimore, Jansen Robinson. «Esto es despiadado; una pelea que dice: "Quiero hacerte daño". Es un fenómeno en todo el país, y nos está agarrando fuera de guardia». Esta cita viene como respuesta al apaleamiento de Nicole Townes a principios de 2004. La policía y los fiscales dijeron que la paliza a Nicole comenzó cuando un muchacho en una fiesta, actuando de manera osada, besó a la chica en la mejilla. Los otros niños rompieron a carcajadas, según el informe policial. La madre, de treinta y seis años de edad, de la muchacha del cumpleaños, al parecer se ofendió porque se suponía que el muchacho era el novio de su hija. Por lo tanto, se supone que la madre instó a su hija a «ocuparse de sus asuntos», un policía dijo que quería decir que la muchacha debía defender el honor de la familia.

Hasta seis mujeres y muchachas arañaron, apalearon, dieron patadas y pisaron a Nicole, dijo la policía. Ella estuvo en coma casi por tres semanas y puede sufrir daño cerebral permanente. Acusadas del asalto fueron la muchacha del cumpleaños, de trece años de edad; su madre; su hermana de diecinueve años; y otras tres muchachas, entre trece y quince años de edad[5].

En todo el resto del país, administradores de escuelas, policía y maestros están viendo una creciente tendencia a que las muchachas salden disputas mediante la violencia. Interrumpen peleas donde las muchachas se enfrentan cara a cara, al igual que los muchachos. Las escuelas también informan de un patrón similar en el número de muchachas que se expulsan de manera temporal o definitiva por pelearse.

La mayoría de los expertos asevera que esta tendencia es un reflejo de la sociedad. En otras palabras, las muchachas son más violentas porque la sociedad en general es más violenta y menos cortés. Esos expertos dicen que las mismas rupturas en familias, iglesia, comunidad y escuelas, que desde hace mucho tiempo han recibido la culpa de la violencia entre muchachos, al final están alcanzando también a las muchachas. Asimismo, otros creen que la violencia se ve alimentada por la emergencia de películas y videojuegos como *Tomb Raider*, en el que las mujeres causan violencia como la de los héroes masculinos de acción.

Aparte de eso, las peleas entre pandillas de chicas en ciudades como Los Ángeles y Chicago tienen buscando soluciones a quienes trabajan con adolescentes. «Es un problema de alta prioridad que resuena en cualquier escuela y con cualquier director hoy en día», dijo Bill Bond, que dirige un proyecto sobre seguridad en las escuelas para la Asociación Nacional de Directores de Escuelas de Secundaria. «He estado en diecisiete reuniones de asociaciones este año, y el tema se ha abordado en cada una de ellas»[6].

Más casos:

▶ En un mes, se produjeron más de diez arrestos en el centro *Dyett Academy* en Chicago, después de violencia que incluía a un grupo de muchachas que al parecer entraron en una sala de clases y ahogaron a una alumna, la tiraron al piso y le pisotearon la cara. Algunos padres se están negando a enviar a sus hijas de nuevo a clases a menos que los funcionarios de las escuelas públicas de Chicago aborden la conducta violenta por parte de una presunta pandilla femenina[7].

▶ En otro alegato, un grupo de muchachas de diecisiete años iban caminando por un pasillo, escoltadas por oficiales de seguridad, cuando las golpeó otro grupo de muchachas[8].

▶ Una muchacha de catorce años estaba una mañana delante de la escuela secundaria *South Mountain* de Allentown, Pensilvania, cuando otra muchacha se le acercó por la espalda, la agarró de su coleta y la hizo ponerse de rodillas. Tras arrastrar su espalda por el asfalto y rasgarle los pantalones, la atacante entonces golpeó seis veces a la muchacha en la cara, haciendo que le sangraran la nariz y los labios. «Ella no conocía a mi hija», dijo la mamá de la muchacha. «Era un problema que estaba teniendo con una de las amigas de mi hija. Dijo que la agarró porque era la más cercana». Allentown vio casi duplicarse el pasado año los arrestos por graves asaltos de muchachas[9].

«En los grados quinto y sexto ya no es empujar y gritar», dijo un director médico de un centro de tratamiento de salud mental para niños y adolescentes. «Estamos viendo cada vez más enfrentamiento físico manifiesto entre muchachas. Puede llegar a ser bastante desagradable». Una de cada cuatro muchachas del instituto en el país dijo que había peleado al menos una vez durante un período de un año, según las últimas estadísticas, y los arrestos de muchachas adolescentes por asalto van en aumento. No puede decirse lo mismo de los muchachos, quienes mostraron una disminución en los arrestos por asaltos graves durante el mismo período. El Centro para el Estudio de la Prevención de la Violencia en Boulder, Colorado, informa que en la última década el número de muchachas arrestadas por delitos violentos (asesinato, robo y asalto grave) aumentó un veinticinco por ciento, mientras que no aumentó el por ciento en los arrestos de muchachos durante ese mismo período[10].

«Hemos visto un aumento en la conducta violenta, peleas, entre muchachas», dijo Catherine Carbone, portavoz del distrito escolar

Highline en el Estado de Washington. «En los últimos cinco o diez años, el mismo tipo de cosas que siempre causaron mofas o burlas antes, ahora son más físicas»[11].

En 2001, los arrestos por asaltos graves entre muchachas ascendieron al 82% sobre los niveles de 1987, mientras que para los muchachos aumentaron en un 9%, según la Oficina de Justicia Juvenil y Prevención de Delincuencia. David Stewart, un psicólogo que enseña en la universidad de Washington, hace la siguiente observación: «Lo que se ve ahora son incidentes entre muchachas donde uno no lo esperaría, como en alumnas de honor y miembros de equipos deportivos», dijo. «Esas son las mismas muchachas que en años anteriores podrían haber dicho: "No hablemos de ella. No vamos a invitarla a la fiesta"».

«Los jóvenes imitan lo que ven, y si están viendo a muchachas adoptar papeles más agresivos, creo que es natural que eso se empiece a filtrar», dijo Doug Hostetter, director del instituto *Kentwood* en Covington, WA, quien atestigua de un aumento en la agresión. «No soy una de esas estrellas de la comunicación, pero la realidad es que la televisión ha cambiado. Las muchachas de MTV tienden a ser agresivas, ya no tan señoritas, retraídas o sumisas y, sin duda alguna, estoy viendo a las chicas responder con más agresividad al conflicto. No creo que consideren que las peleas sean algo que no hagan las muchachas»[12].

Por lo tanto, ¿qué pueden hacer los adultos que se interesan? Pueden comenzar con su propio círculo de influencia: su propia juventud. Quienes trabajan con jóvenes y los padres no solo necesitan enseñarles cómo manejar el conflicto y controlar su ira, sino también ser modelos en cuanto a esto. Deberían alentar a los adolescentes a hablar de alternativas para manejar conflictos y desacuerdos y considerar incluir a personas neutrales o terceras partes (como maestros, pastores de jóvenes o consejeros escolares) que medien en los malentendidos. Pueden alentar a los adolescentes a hablar sobre los problemas con alguien en quien confíen y respeten antes de reaccionar, y tener en mente que la violencia siempre engendra más violencia. Además, los adultos que se interesan necesitan echar una buena mirada a lo que los adolescentes están absorbiendo a través de los medios de comunicación, como la música, la televisión, la

Internet, los videojuegos y las películas. Deberían hablar no solo de ellos, sino también restringirlos en muchos casos.

En Ezequiel 45:9, Dios dice: «No más violencia [...] ¡Actúen con justicia y rectitud!» (DHH). Jonás 3:8 dice que el rey de aquella época decretó: «Cada uno se convierta de su mal camino y de sus hechos violentos». Ese mismo decreto es pertinente en la actualidad.

CAPÍTULO

13

Juego

BRETT VIVE en el centro norte de Connecticut y comenzó a jugar cuando un conocido en su escuela «dijo que conocía a alguien que ganaba dinero en los partidos». Eso fue hace tres años, cuando tenía quince. Brett dijo que apostaba de veinticinco a cincuenta dólares casi cada día en los partidos de baloncesto y cada domingo en el fútbol hasta que terminó teniendo una deuda de setecientos dólares. Su papá estuvo de acuerdo con pagar sus apuestas si él conseguía ayuda. Sin embargo, la adicción lo tenía atrapado aún. «Me dije que ya era suficiente», dijo Brett, que ahora tiene dieciocho años. «Luego, cinco minutos más tarde, estaba al teléfono haciendo otra apuesta. Al principio ganas más de lo que pierdes, pero después comienzas a perder más dinero del que ganas»[1].

En el mismo Estado se descubrió un círculo de apuestas en el instituto *Daniel Hand* después que un alumno le dijera a la policía que había perdido veinte mil dólares contra un corredor de apuestas: un alumno de diecisiete años. A veces los padres son parte del problema. Con frecuencia, la pasión de los padres por el juego se transmite a sus hijos, como le sucedió a Sara, de treinta y un años. Acompañaba a sus padres a los casinos de Atlantic City, donde se enganchó. Ahora asiste a un grupo de «Jugadores Anónimos» debido a una deuda de juego que asciende a una cantidad de seis cifras[2].

El juego ha estado ahí desde tiempos bíblicos. «Las suertes se echan sobre la mesa, pero el veredicto proviene del Señor» (Proverbios 16:33). Los soldados romanos dijeron acerca de la túnica de Jesús en su crucifixión: «No la partamos, sino echemos suertes sobre ella, a ver de quién será. Esto fue para que se cumpliese la Escritura, que dice: Repartieron entre sí mis vestidos, y sobre mi ropa echaron suertes. Y así lo hicieron los soldados» (Juan 19:24, rv-60). En estos dos ejemplos bíblicos no había certeza acerca del resultado. Aunque en la soberanía de Dios, Él conoce el resultado, es lamentable, pero nosotros no lo conocemos. Cuando las personas juegan, el resultado siempre se acumula en su contra de manera exponencial.

Por lo general, el juego entre los adolescentes comienza siendo bastante inofensivo, desde juegos de azar en ferias anuales para obtener premios (con la compra de papeletas, desde luego, por la oportunidad) hasta billetes de lotería. En el extremo contrario están los que han terminado viviendo vidas secretas con adicciones al juego y han pasado a medidas extremas (como el robo y, en algunos casos, acumulando numerosas tarjetas de crédito) a fin de sobreponer una deuda de juego sobre otra. La única motivación del juego es ganar dinero, y para quienes han ganado dinero (o cosas), el ganar es eufórico y adictivo.

El juego ha logrado alcanzar un estatus aceptado por la sociedad en nuestra cultura. Keith White, director ejecutivo del Consejo Nacional sobre Problemas de Juego, dice que más del ochenta por ciento de los adultos estadounidenses juegan ahora al menos de manera ocasional[3]. Por algunas extrañas razones, el póquer ha logrado estar en horas de principal audiencia en televisión, desde *Travel Channel* hasta *Fox*. Se está intentando que el juego sea reconocido como un deporte, si es que uno piensa que una persona con cartas en sus manos tiene la misma capacidad atlética que un atleta disciplinado. Las apuestas en los deportes han aumentado de manera extraordinaria con el interés de la cultura en el deporte, desde botes de apuestas, las carreras de caballos o la Súper Bol. Los gobiernos estatales hasta han sancionado a loterías por recaudar dinero para la asistencia social y programas educativos. Algunos han denominado a este tipo de juego «impuesto de pecado».

Una esfera que ha captado la atención de los adolescentes es la de juegos en la Internet. Lo fundamental es que casi siempre las personas deben tener entre dieciocho a veintiún años de edad para jugar o para entrar en un casino. Sin embargo, las restricciones de edad nunca han apartado a los adolescentes de esta inquietante conducta. El fácil acceso y de manera anónima han hecho que les resulte fácil jugar. Con las computadoras y los números de las tarjetas de crédito (no siempre suyas), los adolescentes pueden pasar a la «acción». En un período tan corto como seis años, las páginas de juegos en la Internet han aumentado de una a mil cuatrocientas[4]. Junto con el juego entre menores viene el uso ilegal de alcohol, mariguana, *crack* / cocaína y tabaco. A medida que continúa el juego entre adolescentes, aumenta el abuso del juego, lo cual conduce a jugar de manera compulsiva. Los jugadores compulsivos tienen el mayor índice de suicidios, ya que esto parece la salida más fácil, dejando atrás la vergüenza y las deudas del juego. A veces las únicas opciones de los jugadores compulsivos son la prisión, la locura o la muerte.

Los jugadores adultos ven por fin las feas consecuencias: la posible pérdida de sus matrimonios, empleos o estilos de vida. Para entonces, las luces se apagarán y ellos buscarán ayuda. La diferencia con los jugadores adolescentes es que siguen viviendo en casa y sus padres no los «entregan». Aunque puede que les roben dinero a sus padres, estos ocultan esa desgraciada conducta.

Los padres y otros adultos que se interesan deben estar vigilantes en cuanto a este problema y notar algunas señales en los adolescentes que participan en el juego:

Problemas en la escuela (como calificaciones bajas, faltas injustificadas y problemas de conducta)
Problemas familiares (como aislamiento y asuntos de conducta)
Problemas en las relaciones con sus pares
Problemas legales y económicos
Delitos (incluyendo el robo a familiares u otros intentos de robo)
Depresión
Pensamientos o intentos de suicidio
Disociación de los demás
Ver en exceso programas deportivos en televisión

Mucha inquietud por los marcadores de equipos a los que no
    seguían con anterioridad
Participación en otras conductas arriesgadas como drogas o
    alcohol

Algunos factores de riesgo que podrían conducir a problemas de
juego en un adolescente incluyen: un historial familiar de alcoholismo
y juego, estar expuesto al juego a edad muy temprana, una familia
que enfatice mucho el dinero y un estilo de vida afluente (aunque no
tengan ninguna de las dos cosas), baja autoestima y depresión[5].

Durante la adolescencia se pueden tomar algunas medidas
preventivas. El apoyo de la familia, la escuela y el grupo de jóvenes de
la iglesia puede lograr mucho a la hora de evitar que los adolescentes
lleguen a participar en el juego. La edificación de la autoestima de un
adolescente minimizará las promesas del juego de «arreglos rápidos».
Los adultos necesitan expresar las fronteras y las expectativas, de
modo que los adolescentes sepan dónde están cuando afronten las
tentaciones del juego. Las familias y los grupos de jóvenes necesitan
hablar de este problema con el mínimo juicio y reforzando los
valores. Las escuelas necesitan volver a revisar sus prácticas en cuanto
al tipo de actividades en que participan para recaudar dinero. ¿Están
enviando el mensaje equivocado a sus alumnos? Las escuelas también
pueden hablar de los riesgos y las consecuencias del juego.

Al ser el juego una conducta tan aceptada en nuestra sociedad,
los adolescentes lo encararán desde muchos frentes. Un carácter
edificado con un fuerte enfoque ético y moral ayudará a eliminar
la tentación de hacerse rico con rapidez mediante el juego. Por el
contrario, los adolescentes fuertes reconocerán que los riesgos
del juego son demasiado elevados. Sabrán que para salir adelante
económicamente tendrán que trabajar duro y con honestidad.
El Salmo 128:2 dice: «Lo que ganes con tus manos, eso comerás;
gozarás de dicha y prosperidad». Proverbios 12:24 dice: «El de manos
diligentes gobernará; pero el perezoso será subyugado».

Pandillas

AUNQUE ES difícil formular una definición de una «pandilla» debido a diversas características, la mayoría de los organismos estatales y locales que velan por el cumplimiento de la ley desarrollan la suya propia. Sin embargo, podemos establecer algunas características fundamentales que se encuentran en la mayoría de las pandillas. Los términos *pandilla juvenil* y *pandilla callejera* se usan de forma intercambiable; no obstante, el segundo puede confundirse con organizaciones criminales adultas. Así que para nuestros propósitos utilizaremos la etiqueta de *pandilla*. Una pandilla juvenil puede describirse como una asociación de formación voluntaria de pares con las siguientes características: tres o más miembros; edades generales de los doce a los veinticuatro años; un nombre; una identidad como ropa, señales en la mano, quizá grafitos; y algún tipo de organización junto con un elevado nivel de participación en actividades criminales o delictivas. No estamos hablando de grupos legítimos, como las fraternidades, clubes de chicos y chicas, equipos deportivos, o alguna organización que tenga un nombre común o tipo de ropa común. Nos referimos a esas pandillas que se reúnen para llevar a cabo actividades fuera de la ley o antisociales[1].

El número de ciudades en los Estados Unidos que dicen que tienen actividad de pandillas ha aumentado de manera sustancial entre mediados de los años ochenta y mediados de los noventa. La actividad de las pandillas y el número global de pandilleros siguieron siendo elevados pero estables desde 1996 hasta 2001. Sin embargo, los resultados de la encuesta nacional de 2002 sobre pandillas juveniles muestran un aumento en el predominio de la actividad pandillera al igual que un aumento de pandilleros, diciéndonos que la actividad pandillera está subiendo en los Estados Unidos. El noventa y cinco por ciento de las agencias locales que velan por el cumplimiento de la ley informaron de alguna actividad pandillera dentro de los institutos en sus jurisdicciones[2].

Las pandillas de la actualidad son distintas a las que existían hace una década. Las pandillas hoy en día tienen una «cultura híbrida», lo cual significa que no siguen las mismas reglas o métodos de operación. Poseen una mezcla de grupos raciales y étnicos, una mezcla de símbolos y colores, y los jóvenes pasan de pandilla a pandilla sin pensarlo mucho y sin mucha fanfarria. Los miembros de las pandillas actuales con frecuencia cortan y copian partes de imágenes de Hollywood y la tradición de las pandillas de la gran ciudad en sus capítulos locales[3].

Es difícil ser exactos en cuanto al número de jóvenes que participan en la vida de las pandillas. Una encuesta a 6.000 alumnos de octavo grado realizada en once ciudades reveló que un 11% pertenecía a las pandillas en la actualidad, un 17% dijo que perteneció a pandillas en algún momento de su juventud. La membresía es mayor entre los jóvenes de alto riesgo en grandes ciudades, y va desde el 14% hasta el 30%, dependiendo de las situaciones geográficas. La buena noticia es que la mayoría de esas personas de octavo grado permaneció en las pandillas menos de un año. La mala noticia es que el aumento en la membresía femenina en las pandillas sigue creciendo. Algunos calculan que entre una cuarta parte y una tercera parte de todos los pandilleros son mujeres. Las pandillas con mezcla de géneros son más comunes en la actualidad que en el pasado; un 42% de todas las pandillas incluye a miembros femeninos[4].

Las pandillas y los pandilleros son responsables de una gran proporción de delitos violentos. En Rochester, Nueva York, por ejemplo, las pandillas cometieron el 68% de todos los delitos violentos de adolescentes. En Seattle, Washington, las pandillas cometieron el 85% de los robos realizados por adolescentes. Para empeorar más aun las cosas, el uso de armas de fuego es un pilar de la violencia pandillera. Los pandilleros tienen mucha más probabilidad que otros delincuentes de llevar pistolas y no tener miedo a utilizarlas. Un 84% de las jurisdicciones con problemas de pandillas informaron al menos una ocasión de uso de pistolas por uno o más miembros en un asalto. Los pandilleros que poseían y llevaban pistolas también cometieron diez veces más delitos violentos que quienes no llevaban pistolas[5].

Los factores de riesgo para los pandilleros abarcan todas las clases sociales, donde las investigaciones muestran el vínculo de los pandilleros a una variedad de violencia y problemas. Esos problemas son una temprana participación en actividad delictiva (en especial la violencia y el uso de drogas), tensas relaciones familiares, baja asistencia y «apego» a la escuela, malos logros académicos, o ninguno, presión negativa de los pares, barrios no confiables y desorganizados, conducta obligada de otros miembros, acceso limitado a grupos en favor de lo social o agencias «de ayuda», paternidad muy temprana, castigos violentos, tráfico de drogas, violación, muerte y encarcelamiento[6].

Aunque el atractivo de la vida de las pandillas podría ser un fuerte impulso para algunos adolescentes, los adultos que se interesan deben ayudarlos a entender la diferencia entre las presiones positivas y negativas de los pares. La vida de las pandillas, al igual que cualquier otra cosa que implique actos y motivos indebidos, podría parecer buena en un principio, pero quizá les cueste hasta sus propias vidas. Los adultos deberían hablar con los adolescentes acerca del engaño y el discernimiento, y pedirles a los directores o juntas de las escuelas que consideren lo que están haciendo para batallar contra la actividad de las pandillas. Deberían estar informados en cuanto a las pandillas locales, sus colores, signos y actividades. Conocer y entender los entornos de los adolescentes será un gran avance en el camino de la prevención. Por último, el deseo profundo de pertenencia se logra satisfacer por la promesa que se encuentra en 1 Juan 3:1, que dice: «¡Fíjense qué gran amor nos ha dado el Padre, que se nos llame hijos de Dios!».

CAPÍTULO

15

Novatadas

TODO LO QUE QUERÍA NIKKI era aceptación, ser parte de su instituto. A principios de su segundo año, Nikki se emocionó al saber que había pasado las eliminaciones para una larga tradición conocida como «el secuestro de segundo año». A medida que se acercaba la noche del sábado, estaba ansiosa. Todos hablaban de ello y la hacían sentir como que pronto llegaría a ser un miembro del grupo popular. Un videoaficionado captó la aparente iniciación para las muchachas de segundo año del instituto *Glenbrook North* de Northbrook, Illinois. La noche comenzó con bastante inocencia. Nikki y algunas de sus compañeras de clase tuvieron que cantar algunas canciones infantiles en público, y todos se rieron. Más adelante se deslizaron por una cuesta con huevos crudos en sus bocas. Fue todo divertido, nada demasiado serio. Luego, las cosas enseguida dieron un giro hacia lo peor. Cien alumnos mayores y bebidos las rodearon. Nikki y sus compañeras de segundo año estaban en el suelo en medio de un círculo cuando los muchachos orinaron sobre ellas, les echaron tinte en el cabello y les hicieron rodar sobre cristales rotos. Los alumnos derramaron sobre las muchachas orina, heces y tripas de pescado, salsa Tabasco, vinagre y pintura, y les hicieron comer tierra. Una de las muchachas tenía alrededor de su cuello intestinos de cerdo. A cinco muchachas las tuvieron que atender en el hospital local. El distrito escolar expulsó a treinta y tres alumnos y disciplinó a veinte. A dieciséis adolescentes los acusaron de delito menor de agresión o cargos por alcohol[1].

En las sesiones de *hockey* de 1999-2000 en la universidad de Vermont, a ocho alumnos de primer año y a un guardameta figurante los obligaron a caminar como «elefantes» por todo el campus (caminar desnudos a la vez que se agarraban unos a otros de los genitales)[2].

Por todo el país, institutos y universidades tienen que tratar el problema de las novatadas. Las novatadas pueden definirse como el daño, la humillación, la crueldad, la intimidación y la opresión de un individuo por parte de otro individuo o grupo de individuos. No solo es un abuso de poder y la violación de la dignidad humana, sino también una forma de abuso y persecución. La universidad *Lycoming*, situada en Williamsport, Pensilvania, ha formulado una definición más detallada de novatada: Las novatadas incluyen, pero no están limitadas a ello, la brutalidad física, como latigazos, golpes, marcas con hierro, calistenia obligada, exposición a los elementos, consumo obligado de cualquier alimento, licor, droga u otras sustancias, o cualquier otra actividad obligatoria que podría afectar de forma negativa la salud física y la seguridad de un individuo. Las novatadas incluyen cualquier actividad que someta a un individuo a extremo estrés mental, como privación de sueño, exclusión obligada de contacto social o cualquier otra actividad obligada que pudiera afectar de manera adversa la salud mental o la dignidad del individuo. También incluye cualquier destrucción intencionada o privación de propiedad pública o privada[3].

Con frecuencia oímos historias de novatadas que suceden en fraternidades universitarias y equipos deportivos, pero también se produce en la escena del instituto. En 1999, una encuesta reveló que no solo el 80% de todos los atletas de la asociación nacional de atletas colegiados (NCAA) estaban sometidos a novatadas[4], sino que también las experimentaban un 42% de los alumnos del instituto[5]. Este problema ha aumentado mucho en el ámbito del instituto. Más de un millón y medio de alumnos del instituto están implicados en novatadas cada año, y más de la mitad de ellos son atletas. Y lo peor de todo es que solo un 10% de todos los entrenadores tienen algún conocimiento de lo que sucede en sus equipos. Los equipos se reúnen fuera de los entrenamientos para implementar tales humillaciones sobre sus «nuevos» compañeros de equipo. Las novatadas no solo se producen en el campo de los deportes, sino que también se han introducido en muchas otras afiliaciones escolares, como bandas, clubes, fraternidades y hermandades.

Hoy en día, se producen muchas formas distintas de novatadas en la sociedad, incluyendo excesivas cantidades de consumo de alcohol, marcas con hierro o quemaduras, ejercicio excesivo, humillación sexual y abuso físico. Los rumores dicen que las novatadas empeoran cada año. Otros atletas quieren dar a los novatos cosas peores que las palizas que ellos recibieron cuando se unieron al equipo. Muchos de los que experimentan novatadas se deprimen y tienen pensamientos de suicidio, y hasta un trece por ciento procura vengarse de quienes cometieron esos actos en su contra. ¿Qué se está haciendo para prevenir las novatadas? Cuarenta Estados han implementado leyes contra las novatadas, pero muchas leyes solo abarcan las novatadas en las instalaciones universitarias. La ley federal de prohibición de novatadas de 2003 se pensó como una medida preventiva de las novatadas y retiraba la ayuda federal a los alumnos que estuvieran implicados en tales actividades[6]. Este es un medio estupendo de prevenir las novatadas en instalaciones universitarias, ¿pero y las instalaciones de los institutos? M.A.S.H. (Madres contra las novatadas escolares [por sus siglas en inglés]) es una organización para hacer más conscientes a los padres de lo que sucede cuando sus hijos se unen a equipos deportivos. Los médicos ni siquiera son conscientes de muchos casos de novatadas. Al igual que con el abuso familiar, los adolescentes no quieren admitir que fueran víctimas de abusos porque quieren evitar meterse en más problemas. Las estadísticas son en sí indetectables, ya que no se informa de los casos.

Entonces, ¿por qué participan los alumnos en las novatadas? Es parte de la tradición y siempre es divertido reírse a expensas de otra persona. La presión de grupo hace que los adolescentes quieran encajar y ser aceptados, ser identificados con un grupo. Si las novatadas son parte del proceso, pues que así sea. Para quienes hacen las novatadas, es solo un pago: venganza. Es entonces cuando se vuelve malintencionado[7].

La prevención de las novatadas tiene que incluir la concienciación. Los adultos que se interesan deberían informarles a los adolescentes lo que es apropiado y lo que no. Pueden hablar al respecto con equipos deportivos, entrenadores y maestros. No deberían culpar a las víctimas, pues hay una tremenda presión de grupo y formas de tomar represalias con quienes hablan. Los líderes adultos pueden desarrollar ritos de iniciación alternativos que impliquen capacidades de liderazgo, becas, servicio comunitario o capacidades atléticas. Con todo, nunca deberían mezclar drogas y alcohol en ningún rito de iniciación, pues los resultados son siempre negativos y hasta destructivos. Si los ritos de iniciación son algo con lo que los adolescentes están incómodos, no tienen por qué implicarse. Pueden buscar otros grupos donde participar[8].

Por último, recordemos: «Así que en todo traten ustedes a los demás tal y como quieren que ellos los traten a ustedes» (Mateo 7:12).

CAPÍTULO

16

Homosexualidad / Identidad de género

E S UNA IMAGEN que desearíamos poder olvidar: Madonna y Britney Spears dándose un sorprendente beso en el escenario durante una actuación en la gala de premios de la cadena MTV. «El beso», término con el que casi siempre se refieren a eso, dio la vuelta al mundo al ponerlo en la Internet, y se vio una y otra vez en programas de televisión por cable. Algunos aplaudieron «el beso» como una libre expresión de libertad artística. Otros lo consideraron una peligrosa e inquietante tendencia de la programación de televisión por cable que se dirige a nuestra juventud con un mensaje de homosexualidad o conducta sexual bi-curiosa. Madonna y Britney admiten ser, o al menos lo son en apariencias, heterosexuales, pero exploran con libertad la bisexualidad en su música y sus vídeos. Esta nueva tendencia no está dirigida a la comunidad homosexual, sino a nuestra juventud, tanto hombres como mujeres. Durante los últimos años, el segmento de mayor aumento de encuentros entre personas del mismo sexo está teniendo lugar entre las muchachas adolescentes de nuestro país. Ellas también representan el mayor segmento de crecimiento en pornografía en la Internet.

Algunos expertos sitúan la edad para un primer encuentro, entre personas del mismo sexo, en las edades de trece años para los muchachos y los quince para las muchachas. Sin embargo, esas cifras no cuentan la historia completa cuando se trata de las muchachas de la actualidad. Las muchachas hoy en día, más que los muchachos, están experimentando con su sexualidad y se resisten a que las sitúen en un grupo particular. Los resultados son una comunidad de muchachas adolescentes que están confundidas en cuanto a su género. Consideremos lo siguiente de una alumna del instituto de diecisiete años, que comenzó a tener citas amorosas con otras chicas a los catorce años de edad después de romper con su novio: «Al principio pensaba que salir con otras chicas era repugnante [...] Luego fui a un club e hice un cambio radical. Desde entonces, he estado saliendo con otras chicas de vez en cuando». Otra alumna de diecisiete años de la misma escuela afirma: «Me gusta cualquier persona a la que le guste (chicos y chicas)». De una chica adolescente: «Yo no necesito información, pero he observado que muchas adolescentes parecen preguntarse acerca de su sexualidad. También he observado que quienes se han dado cuenta de que son homosexuales parecen avergonzarse de esto y entran en un estado de depresión. Tal vez parezca una doctora, pero yo misma soy una adolescente en realidad». Esas jóvenes prefieren descripciones como «gay» o «rara»: términos tan amplios que abarcan a alumnas tanto heterosexuales como homosexuales. Esas muchachas dicen que no saben lo que son, ni necesitan saberlo. Algunos cercanos a esta inquietante conducta explican que la juventud de hoy conoce la diferencia entre conducta y orientación. Solo porque se comporten de cierta manera no significa que no puedan cambiar de opinión con respecto a quiénes son a su propia manera y en su momento.

¿Por qué este aumento en las abiertas relaciones bisexuales, homosexuales, lesbianas y transexuales? Regresamos a los medios de comunicación. Ese apunte a nuestra juventud está dirigido tanto a chicos como a chicas por igual, y no a la comunidad gay establecida. Recordemos que la persona joven promedio en los Estados Unidos ve entre dos y cuatro horas de televisión cada día. La falta de buenos modelos a imitar, el modo en que se presentan mujeres y hombres, chicas y chicos y las actividades en que participan tienen potentes efectos en el modo en que chicos y chicas ven sus papeles en el mundo al igual que su sexualidad.

Además, muchos de los programas de televisión más populares en la actualidad muestran encuentros entre personas del mismo sexo como ocurrencias diarias a nuestros preadolescentes y adolescentes. Algunos programas con temas de género son: *Friends, Will and Grace, WWE, Buffy, la caza vampiros, 24, Relativity, Big Brother, The Real World*, la mayoría de los que forman la MTV, *Nip/Tuck* y el programa de Nickelodeon de Canadá titulado *Degrassi: The Next Generation*. Este último programa está enfocado en los jóvenes y tiene lugar en un instituto y trata de todas las angustias que puede enfrentar la juventud. El programa se transmite en los Estados Unidos en «la N», que es un bloque de programación en el canal Noggin dirigido a preadolescentes y adolescentes. Durante el día, sin embargo, el mismo canal transmite programas para niños pequeños y de primaria. El programa, en su tercera temporada, se ha elegido como finalista de Series Dramáticas Sobresalientes por los Premios GLAAD, presentado por GLAAD, la Alianza de Gays y Lesbianas contra la Difamación. Otros finalistas para los premios del grupo son *Nip/Tuck* de la red FX; *Playmakers*, de la ESPN; *Queer as Folk* y *A dos metros bajo tierra* de la HBO. ¿Por qué esto es tan importante? Durante la adolescencia, los jóvenes forman sus identidades sexuales. Es lamentable, pero la mayoría está aprendiendo de los medios de comunicación lo que significa eso. Y durante la adolescencia los jóvenes tienden a experimentar sus primeros sentimientos eróticos adultos, a experimentar con conductas sexuales y a desarrollar fuertes sentimientos de sus propias identidades de género y orientaciones sexuales. La identificación de género incluye entender que las personas son varones o mujeres al igual que entender sus papeles, valores, obligaciones y responsabilidades de ser hombres o mujeres.

Con la conducta homosexual vienen muchos otros problemas, como el suicidio, el acoso, la depresión y el temor.

Por lo tanto, ¿qué pueden hacer los adultos que se interesan? En primer lugar, tienen que comprender que la sociedad ha pervertido y distorsionado lo que significa ser varón y mujer. Ha tomado relaciones sanas y no sexuales y las ha convertido en «libre para todos», y los adolescentes están pagando el precio.

En Génesis tenemos los orígenes de la tierra y de todas sus criaturas. Génesis 1:31 dice: «Dios miró todo lo que había hecho, y consideró que era muy bueno». Pero más adelante Dios vio algo que no era bueno: «No es bueno que el hombre esté solo» (Génesis 2:18). La tierra estaba ahora habitada por Adán y Eva, no por Adán y Esteban. Antes de que hubiera padres, Dios lo dejó claro: «Por eso el hombre deja a su padre y a su madre, y se une a su mujer, y los dos se funden en un solo ser» (Génesis 2:24). Las Escrituras hacen una promesa en 2 Corintios 5:17: «Por lo tanto, si alguno está en Cristo, es una nueva creación. ¡Lo viejo ha pasado, ha llegado ya lo nuevo!». El camino que conduce a la salida de la homosexualidad no es fácil, pero tampoco es un camino imposible.

Consumo de drogas ilegales

SI ROBERT FRANCE tuvo alguna vez alguna duda sobre si experimentar con éxtasis, la droga del club conocida como «droga del amor», quedó resuelta en una reciente fiesta. Una chica se tomó su primera pastilla de éxtasis, y los cálidos sentimientos y la confianza producidos por la mezcla de *speed* y de alucinógenos estaban causando efecto. Entonces las cosas cambiaron. Ella se puso nerviosa, luego se asustó y después empezó a comportarse como «loca». Lo que ella no sabía era que alguien había puesto otra pastilla de éxtasis en su botella de licor. «Comenzó a ponerse caliente y la pusieron en la bañera con agua fría y hielo», dice este adolescente. «No podían llamar al hospital porque los padres de ella no sabían que estaba en la fiesta». Por fortuna, la muchacha sobrevivió y, como es de esperar, todos los que estaban en la fiesta aprendieron una dura lección.

El consumo de drogas ilegales es un problema creciente en la sociedad actual, en especial entre adolescentes. Las estadísticas muestran que un número sustancial de nuestra juventud está experimentando con drogas por primera vez a edades tan tempranas como los doce o trece años. Aunque el consumo de drogas ilegales nunca se detendrá por completo, la sociedad necesita hallar una manera de mostrarles a los adolescentes los dañinos efectos y adicciones que causa.

El consumo de drogas ilegales es un grave y costoso problema de salud pública en los Estados Unidos en la actualidad. Se calcula que los problemas relacionados con el consumo de drogas ilegales en los Estados Unidos costaron ciento sesenta y un mil millones de dólares en 2002, y cien mil millones de esos costos estaban relacionados con delitos. Las drogas ilegales incluyen: cocaína, heroína, LSD, mariguana, metanfetamina y PCP [fenciclidina]. El mal uso de drogas recetadas y la inhalación de gases, aerosoles y disolventes que se encuentran en muchos productos para el hogar son también ilegales. Los medicamentos con receta a los que casi siempre se les da un mal uso incluyen: analgésicos, estimulantes y tranquilizantes. Los productos inhalantes incluyen: pintura en *spray*, aerosoles, butano, gasolina y óxido nitroso.

He aquí algunas estadísticas que dan qué pensar: Hubo 21.683 muertes por drogas legales e ilegales en 2001. En un mes, un 8,2% de los jóvenes entre doce y diecisiete años de edad han fumado mariguana; un 21,5% de los alumnos mayores del instituto han fumado mariguana; un 2,3% de los alumnos mayores del instituto han consumido cocaína; y un 1,5% de los alumnos mayores del instituto han consumido inhalantes. En 2001, el número de episodios relacionados con la cocaína se elevó a 193.034 en las salas de urgencias[1].

Hay dos clasificaciones de trastornos de consumo de drogas: abuso de las drogas y drogodependencia. El abuso de drogas es un patrón de consumo que conduce a un grave deterioro o dolor, como no cumplir con obligaciones del hogar, del trabajo o de la escuela; el uso de drogas en situaciones peligrosas; y seguir usando drogas a pesar de que su uso cause problemas sociales e interpersonales. La drogodependencia se caracteriza por un anhelo de drogas, pérdida de control de su uso, la necesidad de aumentar la cantidad consumida para obtener los efectos deseados y síntomas de alejamiento relacionados con los intentos de dejarlo o disminuir la cantidad utilizada.

Los síntomas físicos del consumo de drogas incluyen: conducta ebria, ojos inyectados en sangre, movimientos oculares imprecisos, una complexión anormalmente pálida, un cambio en los patrones de habla y vocabulario, desarrollo físico reprimido, un apetito repentino (en especial de dulces) y una inexplicable pérdida de peso o pérdida de apetito. Los síntomas del comportamiento por el consumo de drogas incluyen la pérdida de interés en la escuela, el trabajo, los pasatiempos y los deportes; descuido del aseo personal; inexplicables períodos de mal humor, depresión, ansiedad o irritabilidad; inapropiadas reacciones exageradas a la ligera crítica o a sencillas peticiones; una menor relación y comunicación con otros; preocupación por sí mismo; menor interés por los sentimientos de otros; pérdida de motivación y entusiasmo; letargo y falta de energía y vitalidad; pérdida de la capacidad de asumir responsabilidades; una necesidad de gratificación instantánea; cambios en amigos y una indisposición a presentar los amigos a la familia; y variación en valores, ideas y creencias.

Algunos cambios escolares que pueden aparecer si un adolescente abusa de las drogas son los siguientes: una disminución del rendimiento académico y calificaciones más bajas; menor memoria cercana, concentración y capacidad de concentración; pérdida de motivación, interés y participación en actividades escolares; llegar tarde a menudo y absentismo; menor participación en clases y reuniones; dormirse en clases o reuniones; apariencia y ropa desaliñadas, y falta de higiene personal; respuestas lentas, olvido y ser apático; mayores problemas de disciplina y conducta; cambio en grupo de compañeros; y desaparición de dinero o de objetos de valor. Algunas evidencias físicas del consumo de drogas son el aroma a mariguana en cuartos o ropa; colirios o enjuagues bucales; incienso o ambientadores; cigarros de mariguana (enrollados y retorcidos en ambos extremos), cápsulas o pastillas; polvos, semillas, hojas, plantas, papeles de enrollar cigarrillos, clips de metal para sujetar las colillas de la hierba, pipas, filtros de pipas, filtros, coladores, pipas de agua (casi siempre de cristal o plástico), latas ocultas (refresco, cerveza, desodorante y otras latas que se pueden abrir por arriba o por abajo), pequeños recipientes poco conocidos o cajas cerradas; libros, revistas, cómics relacionados con las drogas; bolsas de plástico o pequeños frasquitos de cristal.

Cuando los adolescentes empiezan a consumir drogas, tienden a asociarse con amigos diferentes. Quizá cambie la escuela, nuevos clubes, nuevos deportes, o discusiones o peleas con antiguos amigos den como resultado que encuentren nuevos amigos. Una vez que los estudiantes del instituto tienen la reputación de ser «drogatas» o «drogadictos», a menudo eso pone un límite a quienes quieren asociarse con ellos. Otros sienten que si son amigos de personas que consumen drogas, puede que ellos también tengan fama de consumir drogas. Por lo tanto, se mantienen alejados, o hasta se burlan, de los «drogatas» para que no los relacionen con ese grupo o esos alumnos en particular.

La búsqueda de ayuda para los adictos no es fácil. Los programas y clubes como Alcohólicos Anónimos están a su disposición, pero muchos adictos no se sienten cómodos allí. Saben que las drogas son ilegales, y se preocupan por si la admisión en público de sus problemas pueda llevarlos a la cárcel al final. Hasta la más ligera probabilidad de que los identifiquen de consumidor de drogas es temeroso, y con frecuencia evita que los adictos busquen ayuda. La mayoría de las comunidades o bien tienen programas patrocinados por el gobierno o programas basados en la fe que anhelan ayudar a los adolescentes adictos o a los adolescentes que estén al borde de convertirse en adictos. Esos programas pueden proporcionar consejo y ayuda domiciliaria. A fin de mantener a los adolescentes alejados de las drogas, los padres necesitan guiarlos a que se aparten de la música rap, como de Tupac, Dr. Dre y Snoop Dogg. El negocio del rap está saturado de consumo de drogas y eso se expresa en muchas de sus canciones. Las películas son otra gran influencia sobre los jóvenes y las drogas en la actualidad. Muchos raperos están también pasando a la gran pantalla y llevando sus drogas con ellos. Los padres tienen que asegurarse de que sus hijos adolescentes no estén viendo películas que apoyen el consumo de drogas. Los padres también necesitan saber con quiénes se juntan sus hijos y dónde están. Por último, los padres, maestros y pastores de jóvenes necesitan hablar con ellos acerca de los peligros y los efectos secundarios a corto plazo y a largo plazo que las drogas pueden tener sobre ellos.

En un sentido espiritual, el consumo de drogas es una atadura. Esdras 9:9 ofrece alguna esperanza: «Aunque somos esclavos, no nos has abandonado, Dios nuestro».

CAPÍTULO

18

Pulseras de goma / Romper {snap}

U N FENÓMENO inquietante, las pulseras de goma, se está extendiendo por las escuelas de primaria y secundaria del país. Chicos y chicas adolescentes llevan esas pulseras de $1.25 que vienen en los colores del arco iris. También se llaman «pulseras de sexo» y están causando bastante conmoción.

Cada color representa una promesa de practicar el acto sexual en un juego llamado «romper». En este retorcido juego, las muchachas llevan puestas las pulseras en sus muñecas, y cuando un chico rompe una de ellas, la chica debe hacer el acto sexual que represente ese color. Lo mismo se aplica si una chica le rompe una pulsera a un chico. Una pulsera azul indica acto sexual oral, una roja (naranja o púrpura) un baile en las rodillas o un beso francés, una blanca un beso homosexual, la negra indica acto sexual y la verde tener fuera la relación sexual. Otros colores representan posiciones sexuales concretas, y las que relucen en la oscuridad indican que hay que usar juguetes sexuales. Los significados del color pueden variar dependiendo del lugar; los antes descritos se tomaron de un consenso general de los estudios sobre el tema.

Las pulseras son en especial populares entre los jóvenes de primaria y secundaria. «Se han estado vendiendo a lo loco», dice

Andy Bell, cajero en el Alley, una tienda de ropa y accesorios en Chicago. Consideremos lo siguiente: «Megan Stecher, once años, en quinto grado, que vende las pulseras de un dólar a sus compañeras de clase en la escuela *Holy Child Jesus* en Richmond Hill, Queens, por $1.25, dijo que sus maestros no son conscientes de lo que simbolizan. Tampoco nadie quiere decírselo, dijo Megan. Todos coleccionan y llevan todos los colores a la escuela, y todos saben con exactitud lo que significa cada color»[1].

A pesar de nuestra incredulidad ante esta conducta, las escuelas en los Estados de Ohio, Illinois, Florida, Tennessee y Virginia han prohibido las pulseras. Pequeñas comunidades, como Lynchburg, Virginia (con una población de sesenta mil habitantes) han prohibido estas pulseras en todas las escuelas de secundaria. Parte del problema es la distracción que causan las pulseras durante el día escolar porque los alumnos se preocupaban por quién las tenía y quién las rompía.

El problema va más allá de las clases y llega a la vida cotidiana. Un muchacho de diecisiete años está ahora en la cárcel por haber arrastrado presuntamente a una muchacha de catorce años desde un parque en el este de Amarillo y haberla violado. Se le acusa de secuestro y agresión sexual. En un informe a la policía, les dijo que creía que la chica quería tener relaciones sexuales con él cuando «le rompió la pulsera».

¿Qué pueden hacer los adultos que se interesan? En primer lugar, no todos los jóvenes que llevan una pulsera de goma están jugando al juego de «romper». Sin embargo, quienes les rodean podrían estar jugando. Si las muchachas llevan esas pulseras, no significa que practiquen el acto sexual, que sigan el juego de romper o que ni siquiera sepan algo al respecto. No obstante, esta es una buena oportunidad para que los padres tengan conversaciones fundamentales acerca del sexo y de la sabiduría de llevar esas pulseras. La organización *Vale la pena esperar* dice: «Una conversación acerca de esas pulseras y de sexo casi nunca es suficiente [...] Tiene que haber un diálogo continuo con sus hijos»[2].

Los adultos no deberían tener temor a hablar con franqueza con sus jóvenes acerca de este problema, utilizando la cultura para aprovechar esos momentos de enseñanza oportuna aun si *todos los demás* lo hacen. Es mejor ser «los malos» durante un tiempo que ver que sucede lo impensable. En 1 Tesalonicenses 4:3 se nos dice: «Que se aparten de la inmoralidad sexual», y 1 Tesalonicenses 5:22 dice: «Eviten toda clase de mal».

Delincuencia juvenil

MATARON A CUATRO MUCHACHAS y un maestro e hirieron a diez en la escuela secundaria *Westside* en Jonesboro, Arkansas, durante una falsa alarma por incendio debido a disparos procedentes de bosques cercanos. A Mitchell Johnson, de trece años, y Andrew Golden, de once, que capturaron poco tiempo después del tiroteo a poca distancia de la escuela, los acusaron de cinco cargos por asesinato y diez cargos por agresión. El fiscal adjunto, Mike Walden, dijo que la policía incautó tres potentes rifles y siete pistolas, algunas de ellas semiautomáticas, cuando arrestaron a los muchachos. Walden dijo que se encontraron veintidós casquillos vacíos en los bosques desde donde se hicieron los disparos. Otros dos casquillos vacíos se encontraron en una de las pistolas. La policía también descubrió una cantidad importante de municiones, alimentos y equipo de camping en una camioneta gris aparcada en las inmediaciones. La camioneta pertenecía a la madre y el padrastro de Johnson. Mientras la ciudad enterraba a dos de las muchachas asesinadas, por el tiroteo en el patio de la escuela de 1998, oficiales del Departamento de Justicia de los Estados Unidos dijeron que no tratarían de procesar a los dos muchachos que se creían que eran los responsables de las muertes. Fuentes del Departamento de Justicia explicaron que los abogados del gobierno llegaron a la conclusión de que los estatutos federales sobre armas de fuego, bajo los cuales se podrían acusar a Johnson y Golden, no darían como resultado condenas en prisión más largas de las que se proporcionan en la ley de Arkansas[1].

La policía arrestó a un muchacho, de quince años de edad, con relación a tres ataques en una clínica de planificación familiar en Tulsa, Oklahoma. Se sospecha que el adolescente también participó en otros dos ataques a clínicas, dijo el FBI. La clínica de servicios de reproducción y adopciones recibió dos ataques con bombas incendiarias. Nadie resultó herido, pero las explosiones causaron daños menores. Alguien entró en la clínica, que realiza abortos y otros servicios ginecológicos, y se hicieron varios disparos a equipo médico. El muchacho se acusó por delincuencia juvenil bajo la ley federal, pero se realizará una audiencia a fin de decidir si lo enjuiciarán como adulto[2].

La delincuencia juvenil es una conducta que no debería pasarse por alto. No deberíamos suponer que es solo una fase, algo a lo que los adolescentes se sobrepondrán con el paso del tiempo. Tal conducta adolescente puede deteriorarse hasta niveles peligrosos. La definición legal de delincuencia juvenil es una conducta de niños y adolescentes que en los adultos se juzgaría bajo la ley criminal. En los Estados Unidos, las definiciones y los límites de edad varían, con la edad máxima en los catorce años en algunos Estados y hasta los veintiuno en otros. El grupo de edades comprendidas entre dieciséis y veinte años, considerado adulto en muchos lugares, tienen una de las incidencias más elevadas de delitos graves. La mayoría de los delincuentes adultos tienen un trasfondo de delincuencia juvenil. El robo es el delito más común en los niños; delitos más graves contra la propiedad y la violación se cometen con más frecuencia por jóvenes mayores.

Las causas de tal conducta, al igual que las del delito en general, se encuentran en un complejo de factores psicológicos, sociales y económicos. Algunos factores de riesgo incluyen el uso de drogas en el hogar y en la comunidad, desempleo continuado en sus zonas, malos resultados académicos, ausencias sin permiso, falta de influencias de grupo positivas, falta de implicación de la escuela o la comunidad y elevados niveles de violencia comunitaria o familiar. Estudios clínicos revelan inadaptaciones emocionales que, en muchos delincuentes, casi siempre surgen de situaciones familiares desorganizadas. Otros estudios sugieren persistentes pautas de delincuencia en barrios pobres, aunque este argumento se ha desacreditado entre muchos científicos sociales.

Las consecuencias de la delincuencia juvenil varían con la clasificación del delito y en el estado en el que se cometió. Sin embargo, en términos generales, esas consecuencias incluirían:

▶ Libertad condicional

▶ Servicio comunitario

▶ Restitución a las víctimas del delito

▶ Confinamiento en un hogar / centro de detención juvenil o un correccional de menores

▶ El sistema de justicia juvenil tiene muchas opciones de tratamiento para escoger. Además de los usuales centros correccionales y cárceles, hay centros juveniles especializados, grupos de hogar y programas de acogida.

▶ Para casos graves, si el menor tiene catorce años de edad o más, el tribunal puede, si se solicita, transferir o certificar al menor al tribunal de circuito para un juicio del caso como si fuese un adulto.

Aunque los muchachos cometen la gran mayoría de los delitos juveniles, los arrestos de muchachas han aumentado mucho en la última década. En el pasado año, se arrestó a más de medio millón de muchachas en los Estados Unidos. Aunque hay controversia en cuanto a si los cambios representan variaciones en el comportamiento de las muchachas o a los patrones de arresto, es innegable que las muchachas se están haciendo presentes de forma más visible dentro del sistema de justicia juvenil. Una proporción sustancial de delincuentes femeninas informa de un historial de abuso sexual y físico. En un estudio de jóvenes encarcelados en Virginia por delitos violentos, un 51% de las muchachas evidenciaba un historial documentado de abuso sexual y un 35% un historial de abuso físico, niveles significativamente más elevados que los informados por los muchachos. El abuso sexual puede proporcionar un peligroso camino hacia otras actividades delictivas, como la prostitución y el abuso de sustancias, lo cual a su vez conduce a delitos más violentos. Además, un historial de abuso y violencia en el hogar puede causar que las muchachas huyan de casa, conduciendo a una mayor delincuencia juvenil.

Para los muchachos, la encarcelación corta sus pocos vínculos de continuidad con empleos, casas, sistemas de apoyo social y familia. Entre cinco y quince millones de niños con padres y madres trabajadores están en casa solos después de la escuela. Más de la mitad de todos los delitos juveniles se producen entre las dos de la tarde y las ocho de la noche. Hay una correlación obvia. En una cruel ironía, un año de encarcelamiento cuesta de treinta mil a treinta y seis mil dólares por muchacho, mientras que un año en Harvard cuesta alrededor de veinticuatro mil dólares[3].

Pueden tomarse medidas preventivas. Debido a que la familia es el sustento de cualquier sociedad, debería buscarse el apoyo gubernamental y social a fin de preservar la integridad de la familia, incluyendo la familia extendida. La sociedad tiene una responsabilidad de ayudar a la familia en cuanto a proporcionar el cuidado y la protección de quienes los necesitan, en particular los jóvenes. Iglesias y comunidades deberían proporcionar una amplia gama de medidas de apoyo basadas en la comunidad para los jóvenes, incluyendo centros de desarrollo eclesiales y comunitarios, instalaciones recreativas y servicios para responder a los problemas especiales de adolescentes que estén en un riesgo social. Las escuelas deberían servir como recursos para la provisión de servicios médicos, consejería y otros servicios a personas jóvenes, en particular a quienes tienen necesidades especiales y a quienes sufren de abuso, abandono, persecución y explotación. Los jóvenes deberían dar una atención especial a la prevención del abuso de alcohol, drogas y otras sustancias. A los maestros y otros profesionales se les debería equipar y formar con el propósito de prevenir y tratar esos problemas. Debería ponerse a disposición del cuerpo estudiantil información sobre el consumo y el abuso de drogas, incluyendo el alcohol. A los medios de comunicación, la televisión y la industria del cine en particular, se les debería alentar para minimizar el nivel de pornografía, drogas y violencia que se muestra y a exponer la violencia y la explotación de modo desfavorable, al igual que a evitar presentaciones degradantes, en especial de niños, mujeres y relaciones interpersonales. Los medios de comunicación deberían ser conscientes de su extenso papel y responsabilidad social, al igual que de su influencia en las comunicaciones relacionadas con el abuso de drogas y alcohol en los jóvenes. Deberían utilizar su poder para la prevención del abuso de drogas transmitiendo mensajes coherentes mediante un enfoque equilibrado. También deberían promoverse campañas eficaces para concienciar de las drogas a todos los niveles.

Los menores en potencia anhelan recibir atención de hombres o mujeres mayores. Esta es una gran oportunidad para quienes quieren ayudar o ministrar a esos jóvenes. Algunas personas sienten una inclinación hacia adolescentes que desaventajados en lo social. Consideremos presentar un ministerio a los centros de detención juvenil locales, como ofrecer consejería gratuita o patrocinar en un centro de adolescentes encarcelados un programa semanal de interacción, refrigerios, actividades y juegos sencillos. Esas relaciones personales se vuelven críticas a la hora de alejar a los adolescentes de la conducta delincuente. En otra escala, hay que desarrollar lugares seguros. Las iglesias y los ministerios de jóvenes deberían tomar la iniciativa y desarrollar centros juveniles para adolescentes o, como mínimo, colaborar (con recursos, instalaciones o voluntarios) con organizaciones cristianas de jóvenes que tengan ministerios que impliquen a centros de jóvenes.

La delincuencia juvenil puede resumirse como una falta de respeto hacia las personas, la propiedad y ellos mismos. En 1 Pedro 2:17 se nos dice: «Den a todos el debido respeto». Levítico 19:32 dice: «Respeta a los ancianos». Por último, 1 Tesalonicenses 4:11-12 dice: «Procuren vivir tranquilos y ocupados en sus propios asuntos [...] para que los respeten los de fuera» (DHH).

Matrimonio demasiado prematuro

MUCHOS JÓVENES se casan demasiado pronto. Consideremos este testimonio:

Tenía diecisiete años de edad y hacía un par de semanas que había terminado el décimo grado. Entonces lo conocí. Tenía veinticuatro años, hijo único de padres divorciados. Había estado viajando por el mundo desde que tenía diecisiete. Era guapo, inteligente y lleno de historias, aventuras, fantasías y sueños. Me enamoré locamente. Tuvimos una fiesta íntima de compromiso un par de meses después cuando yo cumplí los dieciocho años. Era el hijo que nunca tuvieron mis padres. Yo era la primera de mis amigas en comprometerse. Fui a la universidad con mi anillo de compromiso de diamante como un trofeo alrededor de mi dedo.

Todo está manchado por la promesa de libertad mediante el amor. Uno piensa o no, lo cual es lo mismo a esa edad, que el matrimonio es el escape final de la adolescencia. Mis últimos exámenes de bachillerato fueron el 24 de junio

y me casé el 27 de junio. Luego regresamos a nuestro
«nido de amor». Yo no sabía cocinar, limpiar, ni planchar.
No tenía idea de cómo mantener una casa, pero eso no le
molestaba a él. Le llevaba sus camisas a mi madre (ante su
insistencia y mi despreocupación) y ella se las planchaba
con amor, al igual que lo había hecho para mi padre por
más de treinta años.

Yo seguí en la universidad, siendo mis asignaturas
principales filosofía y estudios feministas. Él trabajaba
en ventas, escribía poesía y tocaba el saxofón. Tres años
después tuvimos una niña. Ya no podía seguir jugando
a las casitas. Me vi proyectada al mundo real. Era madre
y debía tener responsabilidad. La idea de mi esposo de la
responsabilidad era trabajar día y noche. Yo no tenía a
nadie con quien hablar.

Me estaba despojando de mi piel de adolescente y mi
nueva piel como joven mujer adulta ya tenía cicatrices.
Sin embargo, aún carecía de experiencia en la vida. Él
comenzó a hacer viajes de fines de semana para pescar, y
mi madre me advirtió de que abriera los ojos en cuanto
a su paradero. Un año después nos divorciamos. Éramos
unos extraños con rostros conocidos. Ya no teníamos
nada en común a excepción de una niñita adorable.
¿Compartimos sueños alguna vez? Yo hubiera querido
una vida de aventura. Él hubiera querido un hogar y una
familia. Aun así, cuando nos divorciamos, él siguió con sus
aventuras. Yo era entonces una madre soltera, establecida,
pero sin adaptarse aún.

Como pareja adolescente, es un desafío terminar
juntos la adolescencia y entrar en el mundo adulto como
dos seres humanos comprometidos, cada uno responsable
de su parte de la relación. La verdadera pregunta es,
entonces: ¿Crecerán juntos o se distanciarán?[1]

Más de un sesenta por ciento de los matrimonios entre adolescentes fracasan en cinco años. Eleanor H. Ayers escribe en su libro,
Teen Marriage: «Una muchacha casada a los diecisiete años tiene dos

veces más probabilidades de divorciarse que una muchacha de dieciocho o diecinueve. Si una muchacha espera hasta los veinticinco años de edad, las posibilidades de que su matrimonio perdure son cuatro veces mejores. Decir no a la pareja en la adolescencia no significa decir no para siempre. ¿Por qué comenzar con las probabilidades en contra?»[2]. Cuanto más edad tenga una mujer en su primer matrimonio, más probabilidades hay de que perdure ese matrimonio. Esa conclusión se basó en una encuesta de 1995 realizada por el Centro para el Control y la Prevención de Enfermedades que estudió a diez mil ochocientas cuarenta y siete mujeres de edades comprendidas entre los quince y los cuarenta y cuatro años. Entre las estadísticas sobre probabilidades de divorcio, las cuales se aplican solo a ese grupo de edades, están las siguientes:

▶ Un cuarenta y tres por ciento de los primeros matrimonios terminan o bien en divorcio o bien en separación en quince años, con uno de cada tres primeros matrimonios que se disuelven a los diez años y uno de cada cinco a los cinco años.

▶ Alrededor de un cincuenta y nueve por ciento de los matrimonios, entre mujeres de menos de dieciocho años, terminan en separación o divorcio a los quince años, comparado con un treinta y seis por ciento de quienes se casan a los veinte años de edad o más[3].

Este problema de casarse durante los años de la adolescencia es algo que hay que abordar. Desde luego, con las divisiones emocionales del asunto, siempre habrá excepciones de la regla. Las ventajas de un matrimonio temprano parecen ser, en primer lugar, que el ajuste a la pareja es más fácil que cuando los hábitos y las ideas están ya bien fijados. En segundo lugar, a los hijos les va mejor si los padres son jóvenes de un modo razonable. Esto se relaciona con la mayor facilidad para las mujeres en el parto y también con los ajustes psicológicos entre hijos y padres. En tercer lugar, la mayor edad disminuye las posibilidades de casarse de las mujeres. Elizabeth Powers, profesora asistente en el Instituto de Gobierno y Asuntos Públicos, sugiere que los jóvenes con frecuencia creen que es mejor estar casado. Expresó que, si más adolescentes continúan casándose y permanecen juntos, eso podría conducir a una mayor seguridad económica. «Sin duda, los niños en familias casadas tienen muchas menos probabilidades de ser pobres», dijo Powers. «Los resultados asociados con el matrimonio son buenos»[4].

Sin embargo, hay importantes desventajas en un matrimonio temprano. En primer lugar, puede frustrar los planes vocacionales o educativos del esposo. En segundo lugar, puede perjudicar su poder adquisitivo. Tener una familia que depende de él mientras batalla para avanzar en su vocación puede mantenerlo tan atado que no logre adquirir los medios para el desarrollo propio y el avance. En tercer lugar, las cualidades esenciales para las buenas parejas a menudo no se aprecian hasta que se tiene más de veinte años, incluso hasta los treinta. Las personas jóvenes tienen probabilidad de confundir el encaprichamiento con el amor. Muchas veces sucede que esos de los que las personas creen estar enamoradas a los veinte años no los atraerán en absoluto a los veinticinco años de edad, cuando haya madurado más su juicio. En cuarto lugar, las personas mayores están más preparadas para acomodar las responsabilidades de la vida en casa. Estudios sobre la felicidad matrimonial muestran una relación definida entre matrimonio temprano y subsiguiente infelicidad y divorcio. Jason se casó en la adolescencia: «Como alguien con un matrimonio adolescente fracasado, no apoyaría en lo personal el matrimonio entre adolescentes. He tenido demasiados amigos que también han fracasado en sus matrimonios adolescentes. Una de las principales razones dadas para la separación es el dinero, tal como se relaciona con los gastos y las facturas, al igual que el dinero que una parte gana o no gana. Otra razón dada es la falta de comunicación. Parece que en la sociedad actual, con demasiada frecuencia mantenemos embotellados nuestros sentimientos y emociones, hasta que los liberamos de tal modo que causa un daño irreparable a la relación»[5].

Entonces, ¿por qué los adolescentes hacen el camino hasta sus capillas favoritas para casarse? Muchas veces se debe al embarazo. La mayoría de los matrimonios entre adolescentes se tratan de embarazos y terminan después que nacen los niños. Las parejas adolescentes que están esperando bebés necesitan comprender que casarse no es su única opción (véase el capítulo sobre el embarazo). Otras solo quieren alejarse de sus padres y tener su libertad. Por lo general, la realidad llega pronto y las parejas adolescentes ven que esa libertad viene con importantes responsabilidades de adulto.

Los adolescentes que están pensando seriamente en casarse necesitan abordar algunos asuntos:

▶ El primero es el dinero. ¿Cómo lo obtendrán? ¿Ganarán lo suficiente para vivir?

▶ El segundo es dónde vivirán. Esto está directamente relacionado con el primer punto (dinero). Sin dinero, puede que tengan que mudarse a vivir con sus padres, lo cual no es una buena idea.

▶ El tercero es la familia. ¿Se llevan bien con los demás familiares? No solo se casan con una persona, sino también se unen a toda una familia.

▶ El cuarto asunto que casi siempre viene son los hijos. ¿Seguirá trabajando la madre o tendrá que hacerlo? ¿Cuántos hijos quieren tener?

▶ El quinto es la educación. ¿Terminarán sus estudios y quién terminará? ¿Qué sacrificios están dispuestos a hacer a fin de terminar los estudios?

▶ El sexto serían los valores. ¿Coinciden la mayoría de sus valores? No tienen por qué estar de acuerdo en todo. Eso sería aburrido. Es más, si están de acuerdo en todo, no hace falta uno de los dos. No obstante, sí necesitan estar de acuerdo en los principales valores, como fe, compromiso, familia y trabajo honesto.

Los adultos que se interesan deberían aconsejar a los adolescentes que terminen sus estudios antes de precipitarse hacia el matrimonio. Estar casado y tratar de terminar el instituto, los estudios técnicos o la universidad es un camino más largo y difícil. ¿Puede hacerse? Sí, pero las posibilidades están en contra. Lo más probable es que los adolescentes descubran que las responsabilidades tienen mayor prioridad que obtener una educación académica. Otro asunto relacionado con la educación es el empleo (como mínimo, el empleo del esposo). Hay que pagar facturas, comprar alimentos, la mayoría de los lugares quieren dinero y los vehículos no funcionan con amor. Así que alguno tiene que ganar algo de dinero de manera regular.

Aun mejor sería un empleo en los campos o áreas de formación. De esta manera los jóvenes están en sus carreras con más oportunidades de avanzar. Una vez que se han tratado estos asuntos, las familias de ambas partes apoyarán de modo más sustancial los planes de boda.

Efesios 5:31 dice: «Por eso dejará el hombre a su padre y a su madre, y se unirá a su esposa, y los dos llegarán a ser un solo cuerpo».

Masturbación

L A MASTURBACIÓN ES otra tendencia inquietante en la sociedad actual. Consideremos este testimonio:

Batallé con este problema por nueve años en la adolescencia y lo arrastré a mis años de joven adulto. Creo que todo comenzó como una curiosidad. Sin embargo, los encuentros del abuso sexual de mi hermano mayor me llevaron a los sentimientos físicos. Pronto descubrí que yo podía producirme esos mismos sentimientos y que no lo necesitaba a él (no me gustaban los encuentros con mi hermano debido a su aspecto controlador). Cuanto más experimentaba, más quería aprender. Si estaba solo en casa, buscaba en nuestras estanterías los libros sobre sexo que nuestros padres ocultaban entre los libros de poesía. Pronto aprendí con exactitud lo que sucedía y pensé que si fantaseaba al mismo tiempo, eso hacía que las experiencias fueran mucho mejores.

Por mi experiencia, descubrí que no podía combinar esos actos con pensar en Dios. A decir verdad, a veces me refiero a esas experiencias como si Satanás me violara porque me sentía muy alejado de Dios. Todo el pecado causa buenas sensaciones, pero esos buenos sentimientos son solo momentáneos. Pasé muchas noches llorando en

la ducha después de caer en este pecado. Me he arrepentido
muchas veces.

Este pecado es adictivo. Si algo se siente bien, queremos
volver a hacerlo. Aun así, con algo tan destructivo como esto,
a cada momento queremos mejorar la última experiencia. Es
como el abuso del alcohol o de las drogas. Nunca parecemos
tener lo suficiente si estamos enredados en su abuso[1].

La masturbación siempre ha sido un asunto incómodo hasta
ahora. La cultura pop ha hecho bromas y sugerencias al respecto. La
iglesia ha evitado el problema. La educación pública no lo ha hecho
nada más fácil para los de la fe que creen en el dominio propio y la
sensibilidad espiritual. Desde que el SIDA se ha hecho público, se
ha enseñado la masturbación mutua en muchas clases de educación
sexual en los institutos. Recordemos que también enseñan lo que es
el acto sexual. Enseñan que la masturbación mutua es una elección,
una forma de abstenerse del acto sexual. La masturbación mutua a
menudo se denomina el tipo más seguro de acto sexual del que uno
pueda disfrutar con una pareja. Ya que se trata de estimulación propia
y el hombre nunca penetra a la mujer, no se intercambia ningún
fluido. Esto evita el embarazo y las enfermedades de transmisión
sexual, según la educación pública.

Hay diferencias entre tener un «sueño mojado» y escoger la
masturbación. La diferencia está en la decisión. Los estudios demuestran
que la masturbación causa enfermedad espiritual y ha tenido malos
efectos psicológicos y sociales, pero si se le pregunta a alguien que esté
racionalizando su validez, se obtendrá una respuesta que dirá que lo
anterior no es cierto. Si acudimos a alguien que busca pureza y rectitud,
obtendremos lo contrario. Por lo tanto, el debate continúa.

Un argumento para la práctica de la masturbación es que libera
tensión sexual. Los estudios muestran que es cierto justo lo contrario.
El Dr. Winifred Cutler, una de las autoridades principales en la
biología de la reproducción humana, observa que en una unión sexual
dos individuos se vinculan. «Esto no solo sucede de manera física,
sino también hormonal», dice[2]. Otros tipos de actividades sexuales, ya
sea con múltiples parejas o la masturbación individual, son incapaces
de producir este tipo de armonía cíclica.

Un consejero sobre adicción sexual, el Dr. Douglass Weiss, afirma que cuando uno tiene una liberación sexual, el cerebro experimenta una liberación de productos químicos llamados endorfinas y encefalinas. Esta es la ráfaga más elevada en el cuerpo humano. Debido a que uno obtiene la más elevada recompensa por esta conducta, quiere volver a realizarla. Uno queda vinculado a cualquier objeto al que se esté mirando durante la liberación sexual. Por lo tanto, si uno tiene una fantasía sexual, comenzará a vincularse a un mundo de fantasía. El matrimonio no siempre apacigua el problema. Por el contrario, uno puede estar teniendo juegos mentales cuando Dios ha diseñado la relación sexual para que sea entre dos personas cuyos puntos de referencia sexual sean la otra persona[3].

Jeanne Mayo, veterana pastora de jóvenes de treinta y dos años, cree que una de las mentiras más destructivas con respecto a la masturbación es lo que denomina «la mentalidad de escalera». Los hombres y las mujeres jóvenes que sinceramente desean caminar en libertad con frecuencia se imaginan la santidad como una larga escalera. Cada vez que pasan otro día venciendo en esta esfera, se ven subiendo otro peldaño de la escalera. No obstante, si tropiezan, a menudo sienten que han descendido hasta el principio de la escalera. Así, el viaje hacia la pureza mental se vuelve tan desalentador y desesperanzado que tiran la toalla. La libertad llega cuando los adultos jóvenes entienden que un «tropezón» no cancela todos sus esfuerzos para llegar a ese punto. El principal enfoque mental aquí necesita ser la dirección, no la perfección[4].

Por lo general, los líderes de jóvenes les dicen a los jóvenes que batallan con la masturbación que confiesen este pecado primero a Dios y que después acudan a cristianos comprometidos en quienes confíen. Deberían huir de este pecado y de cualquier cosa que lo agrave. Deberían buscar sanidad y liberación de cristianos calificados. Y, por último, ¡nunca deberían tirar la toalla! Ahora bien, es cierto que no hay nada de malo en este tipo de consejos, pero vamos a tener que ser, en gran medida, más preceptivos con esta generación joven. Se tendrán que producir las elecciones y cambios sobre estilos de vida. Necesitan utilizarse estrategias de «tres cuadras» (véase el prefacio). Los adolescentes deben ser diligentes con respecto a lo que sucede en sus mentes desde el punto de vista social, académico y privado. Solo porque sus escuelas enseñen ciertas prácticas sexuales no significa que tenga razón. Ellos también necesitan ser cuidadosos en cuanto a qué tipo de amigos tienen. Necesitan preguntarse: «¿Quién está influyendo en quién?», en especial sobre el asunto de la sexualidad. Por último, hace falta que se desafíen a los jóvenes respecto a los estímulos visuales que experimentan, ya sean en películas, música o la Internet.

Debemos enseñarles a los jóvenes que la autodisciplina es como un músculo. Si lo ejercitan ahora, serán capaces de utilizarlo durante el resto de sus vidas. En la batalla por la pureza mental, los jóvenes deben entender que sus órganos sexuales más potentes son sus cerebros. Por eso la Escritura nos dice: «Sean transformados mediante la renovación de su mente» (Romanos 12:2). Al meditar en la Escritura, estarán mejor equipados para ganar la guerra contra la tentación.

Algunos versículos para meditar serían Job 31:1, Salmo 101:3 y Proverbios 5:1-23, junto con los siguientes:

«No abrigues en tu corazón deseos por su belleza, ni te dejes cautivar por sus ojos». (Proverbios 6:25)

«Han perdido toda vergüenza, se han entregado a la inmoralidad, y no se sacian de cometer toda clase de actos indecentes». (Efesios 4:19)

«Por tanto, hagan morir todo lo que es propio de la naturaleza terrenal: inmoralidad sexual, impureza, bajas pasiones, malos deseos y avaricia, la cual es idolatría». (Colosenses 3:5)

«Que cada uno aprenda a controlar su propio cuerpo de una manera santa y honrosa, sin dejarse llevar por los malos deseos como hacen los paganos, que no conocen a Dios; y que nadie perjudique a su hermano ni se aproveche de él en este asunto. El Señor castiga todo esto, como ya les hemos dicho y advertido». (1 Tesalonicenses 4:4-6)

Medios de comunicación

LOS MEDIOS DE COMUNICACIÓN son una de las mayores influencias en nuestra sociedad. Afectan el modo en que razonan, actúan y creen las personas. La página Dictionary.com da muchas definiciones de medios de comunicación. Dos de ellas son: «Un medio de comunicación masiva, como periódicos, revistas, radio o televisión» y «el grupo de periodistas y otros que constituyen la industria y la profesión de la comunicación»[1]. Los adolescentes tienen más probabilidades de recibir la influencia de los medios de comunicación antes que los adultos porque están en busca de respuestas.

Los medios de comunicación se pueden reconocer con facilidad en muchos lugares. Cuando las personas tienen información a través de casi cualquier manera, la reciben de los medios de comunicación. La publicidad emitida o la música, las noticias y los videojuegos que se compran son todos formas de medios de comunicación. Los anuncios se encuentran casi en todos los campos de los medios de comunicación. Puede ser difícil escapar a ellos, en especial con las vallas publicitarias gigantes y exhibiciones en escaparates que inundan nuestras ciudades y autopistas. En cualquier hogar, una muchacha adolescente ve la televisión mientras su papá está en la

Internet, su mamá lee el periódico y su hermano menor escucha un CD de música. En nuestra cultura estadounidense, los medios de comunicación son parte de nuestras vidas diarias y no se pasan por alto con facilidad.

Sin duda, los medios de comunicación tienen ramificaciones sociales en la sociedad. Las personas aprenden mediante la observación, y estamos observando cosas terribles en nuestros televisores y pantallas de computadora. Los adolescentes tienden a encontrar contenidos sin evaluar su valor. Cuando se trata de escoger contenidos, la mayoría de los jóvenes copia el comportamiento de los niños de dos años que se meten en la boca cualquier cosa. Gran parte de esos contenidos incluye sexualidad, violencia, profanidad y abuso de sustancias.

Los adolescentes miran a los medios para ver cómo actuar, dónde ir y de quién ser amigos. También reciben la influencia en cuanto a qué ropa ponerse, qué comer, qué escuchar, qué comprar, qué decir, qué pensar y qué mirar. Esto puede ser problemático muchas veces, ya que esos principios los establecen personas que quizá no les interesen los adolescentes individuales. Nuestros jóvenes consumen lo que generan los adultos. Muchos adolescentes se preocupan por la ropa, ya que define a las personas. Con frecuencia miran a sus celebridades favoritas o héroes culturales para ver cómo vestirse. Esas preferencias en cuanto a aspecto casi nunca se escogerían si no fuera por la influencia de los medios de comunicación.

Las personas toman decisiones basadas en lo que les dicen y observan a través de los medios de comunicación. Cuando un niño dice: «Mamá, ¿por qué no compraste mantequilla de cacahuate de la marca Jiff? La tele dijo que "¡las mamás exigentes escogen Jiff!"», recibió la influencia de los medios de comunicación. Si un presidente gana unas elecciones debido a su imagen en un programa de radio, los medios causaron un impacto en las votaciones. Los medios de comunicación persuaden a las personas para que vean la última película de éxito debido a un anuncio en una revista, a un avance de la película o a un anuncio que sale en la Internet. Cuando las ventas de un CD de un grupo que antes era desconocido se disparan después de su presentación en una página Web popular, los medios de comunicación una vez más influyeron en esas compras. A los medios de comunicación estadounidenses solo los guían el factor dinero. Se rebajarán hasta nuevos puntos para vender productos o programas, con los adolescentes enredados en la red de sus planes de mercadeo.

Los medios de comunicación con frecuencia reflejan tres de las mayores luchas para los adolescentes: violencia, sexualidad y libertinaje. MediaFamily.org da la estadística de que en vídeos musicales, que relatan una historia, un 75% contienen imágenes sexuales y un 50% contienen violencia. También dijeron que un 25% de todos los vídeos de la cadena MTV muestran el uso de alcohol o tabaco. Es probable que tales materiales influyan en los televidentes a actuar de modo similar. Escuchar o ver material gráfico insensibiliza a los adolescentes. No hay duda de que ver más violencia en la televisión está relacionado con la mayor aceptación de actitudes agresivas y mayor conducta violenta[2]. Hoy en día, el pecado se muestra de manera activa por todo el país en horario estelar, desde la cerveza pornográfica y carteles de clubes para hombres, hasta la falta de respeto hacia los padres y las autoridades en televisión. Los mensajes que los adolescentes ven con frecuencia se reproducen y empaquetan con exactitud para esas audiencias de jóvenes. Si este no fuera el caso, las corporaciones no se gastarían ni una sola moneda en anuncios que presentan insinuaciones sexuales, consumo de alcohol o conducta promiscua para productos, actividades y servicios que compran los adolescentes. Dada nuestra reputación de gratificación propia y beneficio, los adultos continuarán haciendo lo que comprarán los jóvenes.

La mejor manera de combatir las influencias negativas de los medios de comunicación es mostrando alternativas cristianas a estos medios seculares. Si más adolescentes entendieran que no tienen por qué escuchar la música lasciva que escuchan sus compañeros, un mayor número de adolescentes podría escuchar música más sana. Si se les muestra a los adolescentes que no tienen por qué tomar parte en la sexualidad que se muestra en la televisión, puede que nos sorprendan. Como cristianos, debemos mostrar el santo estilo de vida al que tenemos el llamado de vivir según 1 Tesalonicenses 4:7: «Dios no nos llamó a la impureza sino a la santidad». Muchos adolescentes nunca consideran la opción de estilos de vida contrarios a lo que observan en la televisión, la música, las películas, la radio y las revistas. Hay que evangelizar a los adolescentes que no asisten a iglesias, y hay que mostrarles un modo mejor de vivir. De igual manera, a los adolescentes cristianos se les deben desafiar y mostrarles que tienen la responsabilidad de vivir vidas que sean diferentes de lo que casi siempre se presenta en los medios de comunicación. Aunque nuestra tarea es formar a los adolescentes para que elijan de modo sofisticado los contenidos, los adolescentes necesitan desarrollar destrezas críticas en cuanto a los medios. Algunas de esas destrezas deberían incluir:

- ▶ no mirar el valor del entretenimiento solo porque sea ostentoso y sexy;
- ▶ tratar de aprender de ello con mentes participativas;
- ▶ la necesidad de tener filtros muy finos para sus mentes;
- ▶ preguntar por qué esto se conecta con ellos y para qué;
- ▶ tratar de ver el mensaje claro o subliminal que se presenta;
- ▶ desarrollar la capacidad de «apagarlo»;
- ▶ desarrollar discernimiento en la selección de la cultura popular de los medios de comunicación.

Los medios de comunicación en sí mismos no son algo malo. El problema es que esos medios son en su mayoría seculares y amorales. El contenido es determinante.

Nosotros los cristianos no debemos tomar parte en muchas cosas que ejemplifica el mundo, y debemos comunicar esto a los adolescentes que están buscando lo que deberían hacer y para quién ser. Sin embargo, abstenerse por completo de toda forma de medios de comunicación no es algo racional. Aun cuando compra cosas necesarias, la gente adoptará influencias negativas de los medios mediante la radio de camino al supermercado o por varios materiales en la tienda. Debemos ser conscientes de lo que está mal y abstenernos de ello. Debemos imponer esta idea en nuestra juventud al igual que los medios de comunicación le ha impuesto otras ideas.

CAPÍTULO

23

Música

E N NUESTRO LIBRO, *Timeless Youth Ministry*[1], hablamos de la importancia de entender que desde el comienzo del actual *rock and roll*, el objetivo principal ha sido los adolescentes. Consideremos la siguiente cita de Michael Green, director ejecutivo y presidente de *Recording Academy*, tomada de su discurso en la cuarenta y tres edición de los premios anuales Grammy: «Escuchen, la música siempre ha sido la voz de la rebelión. Es un espejo de nuestra cultura. A veces muestra una inquietante parte indefensa oscurecida por la vista de la mayoría de la gente de privilegio, una zona militarizada que narra la CNN del centro de la ciudad: música rap y hip-hop. No podemos eliminar el arte que nos pone incómodos. Eso es lo que nuestros padres trataron de hacerle a Elvis, los Stones y los Beatles»[2].

Por nuestra propia admisión, la meta de la música rock es asumir la voz de la rebelión por los adolescentes. Sea el mensaje sutil o no, el hecho es que los adolescentes en la actualidad (como los que precedieron) entienden el papel que ocupa la música en sus vidas. Green continúa: «Esta es una de las mayores preguntas que me hacen todo el tiempo: ¿Cree usted que los muchachos lo captan? Los vieron allí. El mensaje, la filosofía del grupo, no está oculto. Están en cada camiseta, en cada vídeo y en cada canción»[3]. Los adolescentes captan el mensaje de la música actual a pesar de lo «adecuado» o difuminado que pueda estar.

Green añade: «Nunca les diré (a nuestras fans) que consuman drogas, que quemen las casas de personas, que maten a gente, ni que adoren a Satanás. En realidad, estoy por Jesucristo, Dios, todo eso. En verdad soy un gran creyente. Soy cristiano. Resulta que tengo una boca malhablada y trato de hacer reír a los muchachos. Sin embargo, así soy yo. Soy como me hizo Dios»[4]. Las estadísticas señalan la importancia de la música en las vidas de los adolescentes. Este capítulo se enfocará en el impacto de la música en las vidas cotidianas de los adolescentes y sugerirá algunas pautas básicas para establecer fronteras dentro de su ministerio con respecto a la música.

Desde un principio debemos establecer el poder y el impacto que tiene la música en los adolescentes. No estamos discutiendo los aspectos positivos o negativos de las letras, el ritmo o el compás. «La música influye en toda la persona; hacer música ejercita el cerebro y la mente por completo»[5]. Los estudios han mostrado que «hacer música incrementa la capacidad y los recursos cerebrales al aumentar la fortaleza de las conexiones entre sus neuronas»[6]. Esas conexiones entre la música, la motivación, el aprendizaje y la memoria han demostrado ser tan fuertes que «muchas terapias con música tienen un uso muy difundido para una variedad de problemas de comportamiento y neurológicos»[7]. El hecho claro es que la música puede influir, en influye, en las vidas de los adolescentes. Su influencia y poder son extensos, ya sean positivos o negativos por naturaleza. Pensemos bien en las esferas enumeradas a continuación:

Motivación. En el siguiente evento deportivo al que acuda, ya sea de una escuela secundaria, un instituto, una universidad o profesional, escuche la música que suena por el sistema de megafonía. Está planeada para hacer que usted se ponga de pie, aplauda, cante y pise fuerte. La música influye en su comportamiento; le concentra en el juego. Los atletas profesionales juegan durante toda la temporada para tener ventaja. ¿Por qué? Así pueden alimentarse de la muchedumbre de la «cancha» y la atmósfera, en gran parte cultivada por la motivación proporcionada por la música.

Aprendizaje y memoria. ¿Cuántos de nosotros hemos puesto información en nuestras mentes mediante el uso de una melodía? Todos lo hemos hecho, y a pesar de nuestra estatura y logros, lo seguimos haciendo. Desde que nacimos aprendimos el abecedario mediante la utilización de una cancioncilla o aprendimos los libros de la Biblia mediante una canción. El hecho es que la música nos ayuda a aprender y recordar.

Consuelo e inspiración. A lo largo de la historia, la música ha sido una fuente de inspiración y consuelo. Desde el himno nacional, hasta la conmovedora interpretación de «Candle in the Wind» en el funeral de la princesa Diana, las canciones nos consuelan y nos inspiran en las luchas de la vida. La música puede hablarnos a niveles personales y las letras de canciones pueden llenar brechas que ninguna otra cosa puede hacerlo.

Como podemos ver por lo anterior, debemos admitir la influencia que tiene la música en nuestras vidas al igual que en las vidas de los adolescentes. Si la música puede afectarnos de manera positiva, también puede afectarnos de manera negativa. Debemos dejar de obviar el impacto que tiene la música en el desarrollo de los adolescentes que están bajo nuestro cuidado. La sencilla verdad es que la música, en lo mejor y en lo peor, nos afecta de muchas maneras. Tengamos esto en mente al ver el fenómeno de la música actual.

La importancia de la música en las vidas de los adolescentes enseguida puede verse mediante sus propias opiniones con respecto al tema. Aquí tiene algunas estadísticas:

▶ Según una reciente encuesta, más de un sesenta por ciento de las personas de edades entre catorce y treinta años renunciaría a alimentos antes de renunciar a la música. Más de un cincuenta y seis por ciento dice que preferiría ser estrella de la música que estrella del cine o político famoso[8].

▶ Durante la secundaria, los adolescentes pasan casi diez mil horas escuchando música; cerca de todas las horas que pasan en clase cuando se gradúan del instituto[9].

▶ Los adolescentes pasan de cuatro a cinco horas al día escuchando música y viendo vídeos musicales[10].

▶ Los adolescentes nombran el escuchar música como su actividad preferida fuera de la escuela[11].

▶ Cuatro de cada cinco de los adolescentes encuestados dijeron que la música es o bien importante, o bien muy importante en sus vidas[12].

▶ Las chicas encuentran más significado en su música que los chicos[13].

Como vemos por las estadísticas anteriores, la música es de suma importancia en las vidas de los adolescentes en la actualidad. Para bien o para mal, los adolescentes encuentran significado y liberación en la música. Ya sea que esa liberación venga en forma de «golpetazos» en un concierto o en tranquila forma melancólica, la música satisface las necesidades de los adolescentes actuales.

La música de hoy tiene una tendencia definida hacia lo violento con sus airadas letras y su impelente ritmo. Los adolescentes y los adultos no han pasado por alto esta tendencia. Las estadísticas siguientes señalan esta inquietante tendencia:

▶ Un cuarenta y ocho por ciento de estadounidenses dice que la violencia en la música popular debería ser más regulada, y a un cincuenta y nueve por ciento le gustaría restringir la violencia en la música[14].

▶ Las letras también se han vuelto cada vez más explícitas en las últimas dos décadas. Por lo general, las canciones hacen referencias al sexo, las drogas y la violencia, mientras que esos sensibles temas se velaban con astucia en el pasado[15].

▶ Los estudios y encuestas han demostrado que la exposición a la música rap «tiende a conducir a un mayor grado de aceptación del uso de la violencia»[16].

▶ Un estudio de cuatrocientos alumnos, hombres y mujeres, mostró que cuanto más violentos eran los vídeos musicales, más enojados, temerosos y agresivos se sentían quienes los veían[17].

▶ Otro estudio dijo que la eliminación del acceso a MTV disminuía el número de actos violentos entre adolescentes y adultos jóvenes en unas instalaciones cerradas de tratamiento[18].

▶ En un estudio del año 1998, de quinientos dieciocho vídeos musicales de las cuatro cadenas de música en vídeo más populares, casi un quince por ciento contenía violencia interpersonal, con una media de seis actos violentos por vídeo con contenido violento[19].

La violencia en la música actual se da por sentada, y el paralelismo entre la música y la conducta es evidente. Nada ha moldeado la cultura adolescente a lo largo de los últimos veinte años como los vídeos musicales. El canal de música internacional (MTV) ha redefinido la industria de la música al crear el vídeo musical y el entretejido de sonidos musicales con imágenes de vídeo. Por primera vez en la historia, los adolescentes pueden sentarse delante del televisor y consumir imágenes de sus estrellas favoritas de rock, cantando y bailando para deleite de sus fans. A lo largo de los años desde su comienzo, MTV ha hecho un esfuerzo considerable para transformarse en algo más que vídeos musicales las veinticuatro horas del día. «MTV se ha transformado desde ser cierto tipo de máquina de vídeos musicales a ser un servicio que complace a los adolescentes y sus legiones de bajos instintos. El canal ahora se define más por programas como la exhibición de hazañas estúpidas *Jackass*, la sorprendentemente pervertida (y aun más sorprendentemente tediosa) telenovela *Undressed* y el apagado pulso bacanal de su anual (y casi perpetua) programación *Spring Break*... Solo por una definición escrita bajo la influencia de hormonas hiperactivas esto es un buen entretenimiento»[20].

Antes de que la anterior cita se descarte como una reacción de reflejo instintivo hacia MTV, consideremos lo siguiente: «un estudio reveló que los muchachos y las muchachas entre 12 y 19 años de edad ven MTV una media de entre 6,6 y 6,2 horas cada semana respectivamente»[21]. Además, «un estudio de 1999 reveló que los vídeos musicales eran más violentos que los largometrajes y la televisión, con una media de cuatro escenas violentas cada uno»[22]. Una encuesta adicional informó que «un 22,4% de los vídeos de MTV contenía violencia manifiesta y un 25% mostraba transporte de armas»[23].

La música es importante para los jóvenes actuales, aun si el contenido se vuelve más violento y el consumo de vídeos que retratan esa violencia y promiscuidad sexual se queda grabado en sus vidas.

Recordemos que si la música nos afecta de manera positiva, lo contrario también es cierto. El paquete total de la música actual afecta a los adolescentes.

La música está en todas partes, pero no toda la música es buena. El libro de Daniel nos da un ejemplo de esto: «Tan pronto como se escuchó la música de todos esos instrumentos musicales, todos los pueblos y naciones, y gente de toda lengua, se inclinaron y adoraron la estatua de oro que el rey Nabucodonosor había mandado erigir» (Daniel 3:7). Por el contrario: «Anímense unos a otros con salmos, himnos y canciones espirituales. Canten y alaben al Señor con el corazón» (Efesios 5:19).

CAPÍTULO

24

Pornografía en línea

L A PORNOGRAFÍA EN LÍNEA es una plaga siempre creciente en nuestra sociedad. Un gran número de nuestros jóvenes, tanto chicos como chicas, ven pornografía en la Internet y muchos se vuelven adictos. Un estudio calcula que «doscientos mil estadounidenses son adictos a la pornografía en la Internet»[1]. Los cristianos que llegan a «engancharse» llevan una doble vida. Los consume la compulsión de satisfacer sus adicciones, seguido de culpa y vergüenza cuando ceden. El problema está extendido entre los jóvenes. El grupo de edades que más consume pornografía en la Internet es el de doce a diecisiete años. La edad media de la primera exposición a la pornografía en la Internet es de once años[2]. Hasta los preadolescentes están expuestos, y esto puede causar una exploración prematura de la sexualidad por parte de jóvenes que ni siquiera tendrían que estar pensando en la sexualidad.

La pornografía en línea consiste en imágenes explícitamente sexuales, historias, vídeos y otros medios similares diseñados para causar la excitación sexual de quien los ve. Por lo general, las fotografías muestran a mujeres de una manera sexual implícita o explícita de plano. Los vídeos son similares, pero añaden movimiento a la ecuación. Las historias son solo eso: relatos sobre sexo.

Dos de los principales factores que hacen que este problema esté tan extendido son el anonimato y la facilidad de acceso. Cualquiera con una computadora y una conexión a la Internet puede ver este material de forma gratuita con ninguna o pocas restricciones y con poco temor a que le descubran. El anonimato también abre la puerta a formas desviadas y hasta ilegales, que implican problemas tan viles como la pornografía infantil y la bestialidad. Cualquier perversión que se desee puede encontrarse en alguna forma en la Internet.

Varios problemas sociales pueden surgir de la pornografía en línea. Quienes la ven tienen una tendencia a volverse adictos y comenzar a pasar cada vez más tiempo mirándola. Al mismo tiempo, necesitan formas cada vez más viles de ese medio de comunicación para lograr el mismo ímpetu sexual. En otras palabras, aun quienes comienzan viendo lo que en apariencias son páginas inocentes de ropa interior pueden progresar poco a poco hasta el porno duro. Los adictos se sienten culpables, pero no pueden apagarlo ni pasarlo por alto hasta después de haber tenido una gratificación. Sin embargo, la culpabilidad regresa con más fuerza después. Otro problema es emocional en naturaleza. Con frecuencia, las personas que ven la pornografía la sustituyen por relaciones e intimidad verdaderas. La pornografía puede causar de manera subconsciente que las personas separen las conexiones sexuales de la gratificación sexual. Esto puede arruinar las relaciones reales, haciendo que les resulte más difícil relacionarse con personas del sexo opuesto. Evita que las personas comiencen buenas relaciones y destruye las ya existentes. La adicción a los medios pornográficos también hace que las personas lleven una doble vida. Parecen ser normales, pero tienen lados ocultos y más oscuros que nunca obtienen lo suficiente de la pornografía. Esos lados oscuros están bajo la superficie, queriendo siempre más tiempo, imágenes cada vez más duras y más de sus vidas. Esas dobles vidas conducen a la culpa y la vergüenza por saber que está mal, pero que no se es capaz de detenerlo.

¿Cómo podemos ayudar a quienes son adictos o están heridos por la pornografía en la Internet? El sentido común dice que dejando de verlo; sin embargo, para quienes son adictos, esto puede ser algo difícil de hacer. La Biblia dice que Dios perdonará cualquier pecado. «Si confesamos nuestros pecados, Dios, que es fiel y justo, nos los perdonará y nos limpiará de toda maldad» (1 Juan 1:9). Jesús dijo que la lujuria es un pecado. «Pero yo les digo que cualquiera que mira a una mujer y la codicia ya ha cometido adulterio con ella en el corazón»

(Mateo 5:28). Si con solo mirar a una mujer con la intención indebida se iguala al adulterio, todo tipo de pornografía está mal.

Sabemos que es pecaminoso ver este tipo de material, y sabemos que Dios nos perdonará si se lo confesamos y le pedimos perdón. Entonces, ¿qué bien hace el perdón si las personas no pueden parar aun después de confesar y pedir perdón en repetidas ocasiones? La mayoría de los adictos necesitan encontrar a otras personas que les ayuden a rendir cuentas, que les hagan las preguntas difíciles. Tener personas piadosas a quienes rendir cuentas le da un rostro personal a la lucha. Si los adictos saben que alguien les preguntará sobre su conducta de modo regular, eso les pondrá freno y hará que se detengan antes de actuar como lo hacían. La mayoría de los adictos solo pueden detenerse con la ayuda de Dios y amigos piadosos a quienes rendir cuentas.

No obstante, la mejor manera de detener una adicción es no permitir que empiece desde un principio. Los padres necesitan supervisar el acceso a la Internet de sus hijos, y los adultos deben guardarse a cada momento. Hay filtros disponibles; así y todo, los mejores filtros permiten que entren algunas cosas.

Dios ayudará a quienes le pidan ayuda con sinceridad. Si las personas quieren en verdad detener esto, deberían confesárselo a Dios, pedirle que les perdone y luego buscar amigos piadosos y de confianza a quienes rendir cuentas. Es crítico dónde ponemos nuestros ojos. Mateo 6:22-23 dice: «El ojo es la lámpara del cuerpo. Por tanto, si tu visión es clara, todo tu ser disfrutará de la luz. Pero si tu visión está nublada, todo tu ser estará en oscuridad. Si la luz que hay en ti es oscuridad, ¡qué densa será esa oscuridad!».

Relaciones en línea

EL BUSCAR PAREJA EN LA INTERNET, las citas amorosas en línea y el romance cibernético han aumentado como maneras de conocer a compañeros románticos. Las personas forman relaciones en línea cada día cuando acuden a la Internet para sus necesidades románticas, incluyendo ayuda, consejo y pautas. Quizá sus relaciones locales estén sufriendo o no tengan a quienes buscan. ¿Quién utiliza la Internet como recurso para buscar pareja? Los estudios muestras que personas de todas las edades, razas y trasfondos socioeconómicos participan en esto. Algunos creen que la Internet puede descartar a locos, raros, neuróticos y quienes solo quieren jugar y muestra a agradables personas locales que no podrían conocer de ninguna otra manera.

Una de las mayores preocupaciones de las relaciones en línea es su vaguedad e impersonalidad. Una mujer en la ciudad de Nueva York que ponga un anuncio en una página de contactos en la Internet para solteros en sus alrededores debe estar preparada para que la abrumen con respuestas como la siguiente: «Tu anuncio es estupendo. Yo vivo en Montana y crío ovejas. Tengo treinta y seis años, estoy en forma, soy soltero y muy caliente. Te amaré enseguida. ¿Qué te parece encontrarnos para tomar algo? Yo pagaré todos los gastos. Escribe si estás interesada». A algunas personas les interesan más en cuántos anuncios pueden responder en lugar de formular respuestas sinceras y de calidad.

Otra preocupación importante de las relaciones en línea es la posibilidad de engaño y distancia emocional. Es muy fácil que las personas engañen u oculten algo personal cuando están a cientos de kilómetros de distancia. Por lo tanto, los usuarios se convierten en quienes quieren ser y lo que quieran ser. Las personas se sienten libres para jugar con otras personas. Quizá el hombre tímido que rara vez tiene una cita desarrolle sus fantasías de ser el hombre de todas. La mujer que nunca usa palabras profanas y rara vez habla por su cuenta se convierte en una dinámica habladora cuando está en línea. Una mujer puede fingir ser un hombre, los heterosexuales pueden fingir ser gays y las personas casadas pueden fingir ser solteras.

Sin embargo, no solo los usuarios en línea, sino también las páginas Web de contactos, se ven envueltas en mentiras de vez en cuando. Los perfiles como base de las páginas Web de contactos fomentan la deshonestidad. Para quienes están ansiosos por conocer a parejas que los acepten, las preguntas de los perfiles pueden ser abrumadoras. Por ejemplo, cuando los usuarios se registran en Kiss.com, se les pide: «Por favor, describa su aspecto». Las posibles respuestas están limitadas a feo, no muy bien parecido, en la media, bien parecido, muy bien parecido y estupendo.

Otra preocupación de las relaciones en línea es, sin duda, de seguridad. Es cierto que hay una amenaza a ser expuesto a materiales desagradables u obscenos a través de las páginas Web de contactos. Hay también una amenaza de proporcionar información privada a alguien que quizá la utilice para acosar o hacer daño. No obstante, el sentido común, el buen juicio y las mínimas reglas de seguridad deberían aplicarse en línea.

Quienes participan en las citas en línea deberían seguir estas pautas para su protección y seguridad: estar alerta en cuanto a alguien que parezca demasiado bueno para ser cierto. Comenzar primero comunicándose solo por correo electrónico. Estar alerta de conductas extrañas o incoherencias. Confiar en los instintos propios. Si algo produce incomodidad, alejarse por la propia seguridad y protección. También es importante mantener el anonimato. Nunca incluir el apellido, la dirección real de correo electrónico, páginas Web personales, dirección postal, número de teléfono, lugar de trabajo o cualquier otra información identificativa en el perfil o los mensajes de correo electrónico iniciales que se intercambien con otros miembros. Dejar de comunicarse con cualquiera que presione para revelar esa información. Ejercer cautela y sentido común. Solicitar una fotografía. Esto dará una buena idea de la apariencia de la persona, lo cual quizá pruebe ser útil a la hora de obtener un presentimiento en cuanto a la persona. No pedir solo una fotografía, sino varias en diferentes escenarios. Si la persona sigue dando excusas, puede deberse a que tenga algo que ocultar. También una llamada telefónica puede revelar mucho sobre las capacidades de comunicación y sociales de la persona. Vale la pena el costo de una llamada para proteger la seguridad.

Otro conjunto de pautas debe seguirse cuando se esté listo para conocerse. La belleza de conocerse y relacionarse en línea es que uno puede recopilar información en forma gradual y luego decidir si se sigue con la relación en el mundo real. Hay que estar al acecho de las banderas rojas. Prestar atención a cualquier muestra de ira, intensa frustración o intentos de presionar o controlar. Actuar de manera pasiva-agresiva, hacer comentarios degradantes o irrespetuosos o cualquier comportamiento físico inapropiado son banderas rojas. Es importante seleccionar un lugar público seguro para encontrarse. La persona nunca debe recoger a la otra en su casa. Nunca hay que hacer nada sobre lo que uno se sienta inseguro. Si de alguna manera se le teme a esa persona, hay que utilizar el mejor juicio para evitar la situación, excusarse y abandonar la relación.

Nunca podrá hacerse demasiado hincapié respecto a la cautela en las relaciones en línea. Aun cuando puedan comenzar de manera inocente, a medida que continúa la comunicación, se desarrollan relaciones. A los adolescentes se les debería alentar a mantener sus relaciones en línea justo en eso... en línea. Si el asunto se echa a perder (por ejemplo, de naturaleza sexual, violento, prejuicios, etc.), los adolescentes deberían eliminar de sus listas a esas personas.

El deseo de tener relaciones es fuerte. «Hay amigos que llevan a la ruina, y hay amigos más fieles que un hermano» (Proverbios 18:24). Los adolescentes necesitan estar seguros de que están buscando relaciones en los lugares adecuados.

Acto sexual oral

NO ES NINGUNA sorpresa que los adolescentes en la actualidad tengan una mayor lucha que nunca con la tentación sexual. Desde la Internet hasta explícitos anuncios de ropa interior, la sexualidad se ve en todas partes. El alumno típico del instituto «se enfrenta a más tentación sexual de camino a la escuela cada mañana, ¡que su abuelo un sábado en la noche cuando salía a buscarla!»[1]. Con tal evidente sexualidad no bíblica que se cuela por todas partes, es más difícil que nunca para los adolescentes mantener a raya su pureza.

El problema parece ser lo que los estudiantes definen como «sexo». Una tendencia en aumento entre los alumnos del instituto es practicar el acto sexual oral en lugar de la relación sexual, ya que lo primero «no es en realidad sexo». Esos adolescentes están tristemente confundidos y al parecer mal informados desde el punto de vista científico, emocional y bíblico.

Micah es un alumno de dieciocho años que se graduó de una escuela pública en el año 2003. En la escuela de Micah, el acto sexual oral era un inquietante problema. Él calculaba que más o menos un 70% de los encuentros sexuales que se producían entre sus pares se relacionaban con el acto sexual oral. Alrededor del 70% de sus amigos participaban en el acto sexual oral y un 50% de toda la escuela. Muchos alumnos culpaban a su falta de otras actividades de practicar mayor acto sexual oral. Micah dijo: «No había mucho que hacer ni mucho en lo que pensar, así que su juguete es el sexo si no tienen algún otro pasatiempo»[2].

Cercano al aburrimiento, uno de los mayores motivos por el cual muchos adolescentes participan en el acto sexual oral es la presión de actuar como adultos. Los maestros y los adultos demandan que los alumnos se comporten como si tuvieran veintitrés años cuando tienen dieciocho. «Siempre nos empujan a crecer con demasiada rapidez, así que esta es una manera en que ellos [los pares] tratan de hacerlo»[3]. Debido a que los empujan a actuar como adultos, piensan que pueden manejar cosas de adultos como la relación sexual.

Sin embargo, los adultos no son el único problema. Los programas de televisión glorifican sin cesar la inmoralidad y se toman a la ligera serios asuntos como el acto sexual oral. Micah dijo con sinceridad: «Ahora parece muy atrayente. La televisión habla de esto a cada momento. Predican la protección, pero eso es todo. La televisión lo hace parecer casual en realidad; es solo algo que haces»[4].

Tal parece que los adolescentes se dan al acto sexual oral por los sentimientos físicos en lugar de hacerlo por las emociones. Pocos estudiantes se preocupan ya del concepto de «amor» cuando se trata de la sexualidad. El acto sexual oral se está convirtiendo en un juego. Los chicos hacen apuestas consigo mismos para ver si pueden «sacar algo» de las chicas como metas personales a lograrse.

Las chicas juegan a esto como un juego mental; para ellas se trata más de un factor dominante. A las chicas les gusta vestirse con pocas ropas a fin de atraer la atención de los chicos y luego se burlan de ellos para hacer que se sientan sexy. Para ellas, el acto sexual oral es más una cuestión de autoestima. El sexo ya no es un asunto de chicos, porque las chicas parecen estar instigando el acto sexual oral más que los chicos en la actualidad. Aun así, las chicas rara vez se lo cuentan a nadie. «Los chicos se lo cuentan a todos, pero las chicas se mantienen calladas, porque si van por ahí diciendo que [practican acto sexual oral], las llamarán mujerzuelas», dijo Micah. Ese parece ser el consenso general: si un chico practica acto sexual oral, es un «muchacho normal», pero si una chica practica acto sexual oral, es una pelandusca[5].

El acto sexual oral viene con muchas ramificaciones sociales. El mayor egoísmo que proviene del acto sexual oral se filtra a muchos aspectos de las vidas de los adolescentes; es imposible contenerlo solo en su vida sexual. Otra consecuencia es una menor autoestima. No sería necesario mucho tiempo para que cualquiera que trabaje cerca de los jóvenes diga que el respeto a uno mismo es un asunto importante. El respeto a uno mismo mengua con cualquier tipo de experiencia sexual fuera del matrimonio. Cuando eso se convierte en un problema, a nosotros como cristianos nos ha resultado difícil tratar de relacionarnos con esos estudiantes, asegurarles que hay un Dios que les ama y se interesa por ellos, porque ellos ni siquiera pueden quererse a sí mismos.

Esos estudiantes se están produciendo graves heridas que no saben cómo atender. No nos diseñaron para manejar el tipo de estrés que viene al romper el plan de Dios para nuestras vidas. Por lo tanto, cuando vamos en contra de lo que quiso Dios, comienza otro ciclo de dolor, y con frecuencia el esparadrapo que los estudiantes prueban es otra dosis de sexo. Y así continúa una y otra vez.

Como cristianos, ¿qué debemos hacer? Para empezar, deberíamos comprender que no solo los jóvenes que no van a la iglesia tienen este problema. Hay una fina diferencia entre los jóvenes que practican el acto sexual oral y que van o no a la iglesia. La única diferencia es que los que van a la iglesia podrían ser un poco más conscientes de las consecuencias. Tienen más probabilidad de pensar en la posibilidad de un embarazo, en enfermedades o en que se enteren sus padres. «Amigos con beneficios» se está volviendo cada vez más común.

Gran parte de la respuesta está en el hogar. Muchas chicas que se entregan con libertad a muchachos tienen un vínculo común: una relación distante, complicada o inexistente con sus padres. Las sanas relaciones padre-hija son esenciales. Otro aspecto de esto comienza en la niñez. A los niños hay que educarlos sabiendo cómo respetar a otras personas. La caballerosidad, en su mayor parte, está muerta. En lugar de esforzarse por proteger la pureza de las chicas, muchos muchachos harán cualquier cosa para obtener lo que quieren, aun si los resultados son devastadores para las chicas. Los padres también necesitan adoptar un interés activo en las vidas de sus hijos.

No podemos esperar que un mundo perdido actúe como si fuera salvo, así que debemos adaptarnos a él. Ciertos programas de televisión como *Friends* menosprecian la pureza sexual y explotan la perversión sexual. Una dieta constante de programas que no tienen interés alguno por el plan de Dios de pureza no hace nada para ayudar a las mentes de los adolescentes cristianos a permanecer centradas en Él. Es fácil distraerse, y poco a poco la moral comienza a deslizarse. Por esa razón, es mejor apagar tales programas. Formar el hábito de obedecer las convicciones (algo tan sencillo como cambiar de canal) puede cosechar grandes beneficios para el caminar espiritual de los estudiantes.

En el lado práctico, los daños de la actividad sexual antes del matrimonio, incluyendo el acto sexual oral, sobrepasan con mucho cualquier supuesto beneficio tanto de manera física como emocional. Los estudiantes tienden solo a pensar en el aquí y ahora. Apartan de sus mentes el futuro, y eso impacta su toma de decisiones. Sin embargo, el placer temporal que viene de los actos sexuales prematrimoniales no valen la pena por el costo. Los alumnos del instituto, en especial los novatos y los veteranos, parecen pensar que solo pueden disfrutar mientras son jóvenes. No creen que el matrimonio pudiera ser tan estupendo, ya que sienten que el sexo no podría ser tan divertido solo con una persona durante el resto de tu vida cuando puedes practicar la relación sexual con tantas personas como quieras antes de casarte. ¿Quieren en verdad los adolescentes un buen desafío? Deberían tratar de abstenerse hasta el matrimonio.

Lo fundamental es que el acto sexual oral es relación sexual. Siempre que las personas participen en actividades que implican órganos sexuales, eso es relación sexual. Los adolescentes necesitan considerar en serio esta línea antes de cruzarla. El acto sexual oral no es un juego. No está carente de consecuencias emocionales o físicas, y tampoco debería esperarse que los adolescentes participen en el acto sexual oral. Los siguientes versículos son algunas respuestas bíblicas que no solo deberían considerarse, sino seguirse también:

«Por tanto, hagan morir todo lo que es propio de la naturaleza terrenal: inmoralidad sexual, impureza, bajas pasiones, malos deseos y avaricia, la cual es idolatrías». (Colosenses 3:5)

«Porque nada de lo que hay en el mundo —los malos deseos del cuerpo, la codicia de los ojos y la arrogancia de la vida— proviene del Padre sino del mundo». (1 Juan 2:16)

«Que cada uno aprenda a controlar su propio cuerpo de una manera santa y honrosa, sin dejarse llevar por los malos deseos como hacen los paganos, que no conocen a Dios; y que nadie perjudique a su hermano ni se aproveche de él en este asunto. El Señor castiga todo esto, como ya les hemos dicho y advertido». (1 Tesalonicenses 4:4-6)

«Han perdido toda vergüenza, se han entregado a la inmoralidad, y no se sacian de cometer toda clase de actos indecentes». (Efesios 4:19)

CAPÍTULO

27

Glotonería / Obesidad

A NTES DE QUE pensemos que la obesidad es un problema exagerado, uno del que la gente habla pero que no merece mucha atención, tenemos que observar los hechos. Lo que se sabe sobre la obesidad entre nuestra juventud es aterrador, si no mortal. En el año 2000, la obesidad fue la causa de cuatrocientas mil muertes en los Estados Unidos. Las estadísticas más recientes muestran que más de un quince por ciento o nueve millones de nuestros jóvenes tienen sobrepeso, el triple del número en 1980. Si esto no es suficiente para preocuparnos, los estudios también muestran que nueve de cada diez jóvenes son inactivos. Consideremos lo siguiente: Según los Centros para el Control y la Prevención de Enfermedades, una mala dieta y la inactividad física están entre las principales causas de muerte que pueden evitarse. He aquí la lista de causas por orden de índice de mortalidad: (1) tabaco, (2) mala dieta e inactividad física, (3) alcohol, (4) agentes microbianos, (5) agentes tóxicos, (6) vehículos motorizados, (7) armas de fuego, (8) conducta sexual, y (9) consumo de drogas ilegales.

La comunidad médica nos está llamando a arreglar el problema antes de que sea demasiado tarde. No se necesita mucho esfuerzo para descubrir por qué hemos llegado a este punto. Por un lado del problema, hemos agrandado todo en nuestra cultura con restaurantes de comida rápida en cada esquina y platos preparados que no se califican como dieta y nutrición adecuadas. Por otro lado, tenemos videojuegos, la Internet y televisión por cable y por satélite que consumen la actividad física de nuestros jóvenes. Ya han pasado los días de jugar al pilla-pilla en el barrio o solo montar bicicleta. Consideremos las palabras del Dr. Ali Mokdad, un médico del Centro para el Control y la Prevención de Enfermedades (CDC [por sus siglas en inglés]): «Queremos las cosas ahora, todo rápido y fácil, y cuando se trata de nuestros hijos, eso no es bueno. Vivimos en una sociedad en la que un niño, cualquier niño, puede meter algo en el horno de microondas y tener comida preparada. ¿Hemos llegado demasiado tarde para arreglar el problema? Me temo que tengo que decir que es demasiado tarde porque no creo que pueda serlo. Hemos abordado problemas con anterioridad [...] Soy optimista, pero también sé que los malos comportamientos son los más difíciles de cambiar»[1].

El comediante Jay Leno dijo: «Un reciente estudio mostró que los jóvenes actuales son más violentos y obesos que nunca antes. La buena noticia es que están demasiado gordos para hacerle daño a alguien».

¿Cuál es la respuesta? Consideremos las siguientes perspectivas a adoptar con sus jóvenes o a transmitir a alguien que conozca. La siguiente lista es de la Dra. Diana Sullivan, coordinadora de servicios de medicina cardiaca preventiva en el hospital *Northside* en Atlanta, Georgia:

1. ¡Sea positivo! Deje que sus hijos sepan que les aman y aprecian sin importar su peso. Los niños con sobrepeso saben mejor que nadie que tienen un problema de peso. Los niños con sobrepeso necesitan apoyo, aceptación y aliento de sus padres.

2. Enfóquese en la salud de sus hijos y sus cualidades positivas, no en su peso.

3. No trate de hacer que sus hijos se sientan distintos si tienen sobrepeso. Enfóquese en cambiar de forma gradual las actividades físicas y los hábitos alimenticios de su familia que sirvan de motivación.

4. Sea un modelo a seguir positivo. Si sus hijos le ven disfrutando de alimentos sanos y actividades físicas, es más probable que hagan lo mismo. Esas son lecciones que se aprenden para toda la vida.

5. Entienda que una meta apropiada para muchos niños con sobrepeso es mantener su peso actual mientras crecen con normalidad en altura[2].

Aunque necesitamos prestarle una seria atención a las sugerencias anteriores, también necesitamos llamar a los adolescentes a cambiar sus estilos de vida y a abandonar el mundo cargado de medios de comunicación y de comida rápida en el que viven. Esto no será fácil. Hará falta que todos nosotros (padres, educadores, trabajadores con jóvenes y otras personas significativas en las vidas de nuestros hijos) nos movamos hacia estilos de vida más sanos.

Por lo tanto, ¿qué podemos hacer? «Active Children, Active Families. A Helpful Guide for Parents» da las siguientes sugerencias:

1. Hacer que la actividad física sea divertida y parte de una rutina diaria. Encontrar maneras activas de celebrar ocasiones especiales, como fiestas de cumpleaños con natación o patinaje sobre ruedas.

2. Encontrar oportunidades para los niños dentro de la comunidad. Es bueno para los niños que se impliquen de manera activa en organizaciones formales, como escuelas o grupos de jóvenes comunitarios, donde logren experimentar relaciones positivas con otros niños.

3. Convertirse en un defensor. Escriba cartas a administradores escolares y miembros de juntas para que apoyen actividades físicas diarias[3].

Lo fundamental es que tenemos que sacar del sofá a nuestros adolescentes, alejarlos de la computadora y los videojuegos y ponerlos de pie. Debemos ser creativos y pensar en maneras de ayudarlos a ser más activos. Consideremos sus capacidades y dediquemos tiempo para jugar juntos.

Proverbios 23:20-21 nos advierte: «No te juntes con los que beben mucho vino, ni con los que se hartan de carne, pues borrachos y glotones, por su indolencia, acaban harapientos y en la pobreza». Sin embargo, 3 Juan 2 sigue siendo una oración relevante para los adolescentes: «Amado, yo deseo que tú seas prosperado en todas las cosas, y que tengas salud, así como prospera tu alma» (RV-60).

Medicinas sin receta

E L ABUSO DE MEDICINAS sin receta se ha convertido en un problema en la sociedad actual. Cualquier persona, sin considerar su edad, raza o sexo, puede llegar a ser adicto, en especial los adolescentes. Los jóvenes han descubierto que pueden abusar de estas drogas legales, y sus padres nunca sospechan que nada esté sucediendo. La mayoría de las medicinas de las que se abusa pueden encontrarse en nuestras propias casas, como medicamentos para la tos, aspirinas, ibuprofeno y antidepresivos.

Por lo general, las medicinas que más mal se usan son los antitusígenos. Las medicinas para la tos contienen dextrometorfano o DXM. El DXM es un narcótico relacionado con el opio que puede encontrarse en cualquier medicina cuyo nombre incluya «DM» o «Tus». Las más comunes son: Robitussin, Vicks Fórmula 44 y Drixoral (ni siquiera una de ellas contiene la droga, ya que hay muchas fórmulas diferentes de esas medicinas. Asegúrese de leer la etiqueta para encontrar «DM» o Tus»). La legalidad y el fácil acceso a esta droga es su principal atractivo. «No es una fea droga. Es mucho menos intimidatorio que inhalar unos polvos o inyectarse una sustancia extraña», dijo el Dr. William Bobo. Cualquiera puede obtener esta medicina en una tienda local desde que la FDA aprueba el DXM para que se venda sin receta[1].

Los buscados efectos de esta medicina incluyen alucinaciones, mayor atención continua, letargo, disociación y euforia, aunque no siempre se logren esos efectos. La medicina también tiene muchos efectos adversos, como confusión, visión borrosa, dificultad en el habla, pérdida de coordinación, temblor, mareos, náuseas, paranoia, dolores de cabeza, sudoración excesiva, alta tensión arterial, adormecimiento de dedos de las manos y de los pies, pérdida de conciencia, boca seca y pérdida de fluido corporal. Las salas de emergencias informan de un mayor número de sobredosis y crisis relacionadas con el DXM. A pesar de estos peligros, los que abusan continúan utilizando este producto debido a su legalidad y su fácil acceso. Se está extendiendo mucho más en los clubes de baile y fiestas delirantes llamadas «raves», donde puede usarse como alternativa al éxtasis. Esta droga tiene nombres en la calle, como DXM, robo, vitamina D, dex y tusina[2].

Los estudiantes utilizan a menudo estimulantes como la cafeína para retrasar la aparición de fatiga mental y física. Quienes estudian por largas horas para exámenes, atletas que sienten que la energía extra mejorará su rendimiento y los trabajadores que necesitan permanecer despiertos en su trabajo utilizarán cafeína para lograr esos efectos deseados. No obstante, si se hace un mal uso de la cafeína, puede resultar en anorexia nerviosa, con una grave pérdida de apetito. También puede resultar en ansiedad, alucinaciones y depresión[3].

Los analgésicos son otras medicinas que causan problemas. La aspirina es el analgésico que se utiliza con más frecuencia hoy en día para tratar la fiebre y el dolor. Los efectos secundarios de la aspirina incluyen náuseas, acidez o el desarrollo de úlceras sangrantes. Otra forma de analgésico es el acetaminofeno o Tylenol. El Tylenol se utiliza para tratar dolores y fiebres, y en general no tiene efectos secundarios. El tercer tipo es el ibuprofeno, que se utiliza para aliviar el dolor relacionado con la artritis, los dolores y la incomodidad menstrual, la fiebre y los esguinces. Cuando las personas utilizan estos medicamentos de modo regular, se vuelven dependientes de ellos. Si no los toman, sienten como si tuvieran los dolores que alivian esos medicamentos.

Los barbitúricos son medicinas que no se recetan con tanta frecuencia y que se utilizan para tratar la ansiedad y el insomnio. Ejemplos de ellos son Seconol y Nembutol. Si no se utilizan en forma responsable, estos medicamentos pueden conducir a depresión o problemas respiratorios.

El mal uso de las medicinas con receta puede llevar a la dependencia psicológica y física. Las personas están utilizando mayores cantidades de medicamentos para asegurarse una sensación de bienestar. En su mayoría, no comprenden que muchas medicinas contienen alcohol y narcóticos como la codeína, que es adictiva y puede amenazar la vida. El uso del alcohol con cualquiera de estas medicinas puede causar aun más reacciones dañinas.

Los padres y otras personas cercanas a los adolescentes deberían buscar señales de que existe el problema. ¿Muestran los adolescentes cualquiera de las señales mencionadas antes? ¿Han cambiado sus conductas, personalidades o hábitos de rutina? Hay que hacer preguntas sobre pastillas encontradas en sus bolsillos y pastillas que no estén en su lugar. Los padres deberían mirar con atención el botiquín de medicinas de la familia. Quienes abusan de estos medicamentos deberían saber que estos son peligrosos y poseen elementos adictivos.

En Filipenses 1:20, el apóstol Pablo escribe: «Mi ardiente anhelo y esperanza es que en nada seré avergonzado, sino que con toda libertad, ya sea que yo viva o muera, ahora como siempre, Cristo será exaltado en mi cuerpo». Los adolescentes necesitan que se les recuerde esto cuando se sientan tentados en esta esfera.

Abuso de los padres

C ADA SEMANA leemos u oímos nuevas historias sobre niños
que deben ser retirados de la custodia de sus padres debido a
que sufren abusos verbales o físicos. Nunca escuchamos que
separen a los hijos porque ellos abusen de sus padres. Sin embargo, en
1995, setenta y cinco madres, padres y padrastros murieron a causa
de abusos cometidos por sus hijos. Nancy Eckstein, especialista
en comunicaciones en el área de Chicago, dice que el abuso de los
padres «puede comenzar con un insulto gritado, puede aumentar
hasta un empujón por las escaleras y resultar en años de confusión
emocional en los hogares». Su investigación demuestra que cada
año hijos adolescentes en los Estados Unidos cometen abuso físico
a un estimado de dos millones y medio de padres[1]. Golpean con
severidad a novecientos mil de ellos. Con frecuencia, las víctimas son
las madres. Niñas hasta de diez años de edad pueden surgir como
abusadoras tempranas, aunque los abusadores adolescentes mayores
son casi siempre chicos que explotan su talla física.

Los adolescentes pueden convertirse en abusadores debido a que
hayan crecido en hogares donde los adultos golpeaban a personas o
cosas para mostrar su enojo. Puede que no conozcan ninguna otra
manera de resolver problemas o de obtener lo que quieren. No han
aprendido cómo manejar sus sentimientos de ira. O los adolescentes

tal vez vean a los padres como débiles e indefensos, o que piensen que así es que puede tratarse a las mujeres[2].

Las formas más comunes de abuso de los padres son humillaciones y amenazas. Es posible que los adolescentes les hagan demandas irrealistas a los padres, como insistir en que dejen lo que estén haciendo para cumplir con las exigencias del adolescente. Quizá amenacen con arrancar el teléfono de la pared si los padres no ponen fin a sus conversaciones telefónicas. Algunos adolescentes mantienen a sus padres en un estado de temor amenazándolos con irse de casa. A veces cumplen esa amenaza y no regresan en toda la noche. La amenaza de suicidio es común. Los adolescentes abusivos también intimidan a sus padres jugando a maliciosos juegos mentales y dando a entender que los padres están locos. Degradan a sus padres, les dicen que los odian y los amenazan con dañarlos, mutilarlos o matarlos a ellos, a otra persona o a las mascotas de los padres. Algunos adolescentes ordenan que los padres gasten más dinero del que pueden permitirse o se lo roban. Otros adolescentes asaltan de manera física a sus padres, empujándolos por las escaleras, golpeándolos, dándoles puñetazos y patadas. La mayoría de los padres que sufren abusos físicos también sufren abusos emocionales.

Un estudio realizado en Halifax, Nueva Escocia, sobre adolescentes que abusan de sus padres definió el abuso paternal: «Se puede definir como abuso cualquier conducta que cree temor y sea dañina para usted. Puede incluir golpes, puñetazos, patadas, empujones, tirones, gritos, robo, romper o tirar cosas, hacer agujeros en las paredes, humillaciones, amenazas de hacerle daño, mutilarle o matarle, o huir, cometer suicidio o hacerse daño a sí mismos»[3].

Los padres tienen la responsabilidad legal de sus hijos hasta que estos tengan dieciocho años, pero la sociedad ha hecho que sea cada vez más difícil para los padres encontrar formas apropiadas de disciplina. En los esfuerzos de la sociedad por encontrar abusos, han dado a los niños que sufren abusos una opción de denunciar el abuso. Esta es una buena opción para quienes sufren verdaderos abusos. Sin embargo, muchos niños utilizan esto para su provecho diciéndoles a los padres que llamarán a la policía y les dirán que sus padres los maltrataron. Para añadir aun más a la confusión, las leyes tienden cada vez más hacia sentencias en cárceles para los padres cuando no pueden controlar a sus hijos[4].

Los padres que sufren abusos buscan la causa y pasan por alto el acto primero y esencial: volver a obtener su liderazgo en la familia. Una razón por la que buscar causas no es un buen lugar para comenzar es que en unas cuantas familias no hay una sola razón identificable por la cual se esté produciendo el abuso. Las posibles causas incluyen valores sociales y culturales, dinámicas familiares y el desarrollo individual de los niños. A veces las cosas que parecen una causa, como un adolescente que fume mariguana, es en sí solo un síntoma del problema. Sin duda, culpar a los padres es una explicación inadecuada. Una vez que termina el abuso y los padres están una vez más en amoroso y compasivo control de sus hijos, las personas pueden buscar causas si creen que eso será útil[5].

Se pueden hacer algunas cosas si se está en esa situación: Crear un plan para qué hacer siempre que su hijo se ponga violento. Aprender a refrenar a su hijo, aunque sea difícil encontrar a alguien para formarle en cuanto a poner restricciones seguras. Además de restringir, decidir qué apoyo se necesita y qué consecuencia necesita su hijo. Tener a alguien a quien pueda llamar que haya sido testigo de la violencia de su hijo para apoyarle si vecinos o extraños llaman a la policía o a los servicios sociales, pensando que es usted el abusador. Desarrollar una sólida relación con su pediatra, terapeuta o psiquiatra, quien no solo les ayudará a usted y a su familia, sino que también le apoyará si le acusan de ser un maltratador[6].

Algunos sugieren que los padres llamen a la policía cuando sus hijos son violentos con ellos a fin de poder tener informes del abuso de sus hijos. Los padres deberían saber con antelación cuáles serán los procedimientos policiales. ¿Hablarán con los adolescentes, los llevarán al centro local de detención juvenil o les atarán las manos y los llevarán al hospital psiquiátrico local? Los padres deberían hablar de esas cosas con su terapeuta o médico de familia. Deberían escribir un diario de la conducta de sus hijos a fin de tener por escrito que son sus hijos, y no los padres, los que están abusando. Si usted no es un padre o madre que sufre abusos, pero entiende el problema, permita que otros padres le hablen de sus preocupaciones y su vergüenza, y bríndese para ayudarlos de cualquier manera que pueda. A esos padres que sufren abusos puede que les resulte difícil encontrar apoyo de otras personas[7].

Existen muchos problemas en toda esta situación. En primer lugar, los adolescentes violan uno de los Diez Mandamientos que dice que obedezcamos a nuestros padres. Otro problema es que los padres no han educado como es debido a sus hijos. No aplicar la vara quizá haga algo más que malcriar a los niños; es más, puede que ponga la vara en manos de los hijos para que se use contra los padres. Puede que los padres quieran buscar consejo espiritual para sus hijos y para ellos mismos. Si no se tratan esos problemas con determinación y en su momento adecuado, serán muy dañinos para los adolescentes cuando crezcan. Los padres deberían buscar, orar, emprender la acción y no permitir que los adolescentes permanezcan al mando.

Proverbios 23:22 es claro: «Escucha a tu padre, que te engendró, y no desprecies a tu madre cuando sea anciana».

> «Honra a tu padre y a tu madre —que es el primer mandamiento con promesa— para que te vaya bien y disfrutes de una larga vida en la tierra». (Efesios 6:2-3)

> «Por sus hechos el niño deja entrever si su conducta será pura y recta». (Proverbios 20:11)

Piercing

EL *PIERCING* DEL CUERPO es un asunto que afecta a los adolescentes en todo el país. La mayoría de los adolescentes tienen *piercings* y no solo en sus orejas. Ninguna parte del cuerpo está exenta. El *piercing* corporal ha estado ahí durante siglos. Se remonta a Roma en los años 400-200 d. C., y ha continuado desde entonces[1]. Hoy en día, el *piercing* es una tendencia de moda. Los adolescentes se agujerean sus orejas, lenguas, labios, narices, cejas y ombligos. Es un arte que consideran que expresa lo que son. Los adolescentes reciben la influencia de las estrellas de la música, el cine y la televisión que tienen todas algún tipo de *piercing*.

Aunque el *piercing* es una tendencia común entre los jóvenes, los peligros del *piercing* pueden ser grandes. Hay poca regulación sobre el *piercing* en los Estados Unidos. Por eso todos los *piercings* deberían hacerlos profesionales en lugares esterilizados. Por lo general, utilizan agujas largas o pistolas de *piercing*. Es esencial que esterilicen todo el equipo antes de utilizarlo. Algunas personas han contraído graves infecciones por las perforaciones corporales que necesitan operaciones y les provocan otros problemas médicos. Algunos han contraído infecciones o han tenido reacciones alérgicas al níquel de los aretes. Además, el *piercing* puede dejar cicatrices permanentes en el cuerpo. Puede ser doloroso, dependiendo de qué parte se agujerea y lo bien que la persona tolere el dolor. También es importante ocuparse con atención del *piercing* después. Si no se dan los pasos adecuados, podrían producirse peligrosos problemas[2].

La mayoría de los adolescentes dicen que el *piercing* es adictivo y que una vez que se hacen uno, tienen que hacerse más. Asimismo, a medida que cada vez más personas se los hacen, la presión de grupo supera al sentido común. Los jóvenes tratan sin cesar de encontrar maneras nuevas y creativas para hacerse agujeros[3].

El *piercing* deja cicatrices permanentes en el cuerpo, pero no son tan observables como los tatuajes. Si los adolescentes no quieren los *piercings*, solo pueden quitarse los aretes. Aunque esto es cierto, los jóvenes deberían seguir tomándose en serio el *piercing* y no hacérselo a menos que estén dispuestos a correr los riesgos médicos implicados[4].

A los adolescentes con múltiples *piercings* casi siempre muchos de sus compañeros y adultos los juzgan como locos. Es posible que ni sean capaces de conseguir empleos debido a su aspecto poco profesional. Disneylandia, por ejemplo, solo contratará a quienes tengan «aspecto natural», lo cual significa que las mujeres solo tienen que llevar maquillaje y cortes de cabello naturales, y los hombres tienen que estar afeitados, y solo se permite un pendiente y un reloj. Esto quizá parezca discriminación, pero por eso a tantas personas les gusta visitar Disneylandia, pues les recuerda épocas en que la vida era menos complicada. Además, un patrón tiene derecho a establecer las reglas que quiera porque es el que contrata y paga a sus empleados. Los *piercings* en la cara pueden distraer y restar belleza natural a la persona. Después de hacerse *piercings*, muchos jóvenes quedan decepcionados porque no resultó como querían o esperaban. En ocasiones no les aclararon bien ni les dieron toda la información anterior al procedimiento. El *piercing* también puede ser caro, con costos que varían entre los sesenta y los cien dólares. Son necesarios un par de meses para curarse y siguen delicados durante algún tiempo. Antes de hacerse agujeros en su cuerpo, los adolescentes deberían considerar con atención el asunto[5].

Algunas posibles soluciones o alternativas para el *piercing* han surgido a lo largo de los años. Los aretes con cierres magnéticos crean la ilusión del *piercing*, pero sin dolor, y son mucho menos caros. El inconveniente es que los aretes pueden caerse con facilidad y son difíciles de mantener en su lugar. Otra idea es comprar diferentes tipos de abalorios en lugar de hacerse un *piercing*. Eso daría lugar a la creatividad, pero no marcaría para siempre el cuerpo[6]. Es obvio que otra solución sería no hacerse nada. El *piercing* corporal puede producir un juicio y ridículo indeseados.

La Biblia nos dice que el cuerpo del cristiano es el templo del Espíritu Santo, y el Espíritu Santo vive dentro de nosotros. Con esto en mente, los adolescentes deberían pensar en si deberían agujerearse o mutilar sus cuerpos, pues se los ha dado Dios. El *piercing* es solo una tendencia de moda durante un breve período. Algún día no será popular, y entonces los adolescentes tendrán algo que no quieren. Dios quiere que nos preocupemos más de nuestro ser interior que de nuestro aspecto exterior. «Dios ve no como el hombre ve, pues el hombre mira la apariencia exterior, pero el SEÑOR mira el corazón» (1 Samuel 16:7, LBLA).

CAPÍTULO 31

Embarazo

JENNIFER SWIMS tenía diecisiete años y le iba bien en la escuela. Como una de las cinco jugadoras de su equipo de baloncesto del instituto, soñaba con ir a la universidad estatal de Tennessee y jugar a encestar. Quería estudiar medicina y convertirse en médico al final. Ese mismo año, Jennifer se quedó embarazada por accidente. Con dieciocho años de edad que tiene ahora, Jennifer tiene un bebé del que ocuparse. Se llama como su papá, Jamal Degroff, y sus sueños están en espera.

Hoy en día, Jennifer y el joven Jamal viven en Newark, Nueva York, con los padres del papá del bebé. Jennifer está terminando el instituto y trabaja para sostener a su hijo. Su novio se alistó en la Marina mientras Jennifer estaba embarazada. Ella planea reunírsele después de graduarse y se casarán.

Jennifer ama al pequeño Jamal más que a nada, pero desearía haber esperado para tener hijos. «A veces me siento como que en realidad he estropeado mi vida al hacer esto tan temprano», dice Jennifer. «Uno debería esperar para tener un hijo. Cuando es tu propio hijo, no puedes dárselo a otra persona»[1].

El embarazo entre adolescentes es uno de los problemas más graves en la sociedad estadounidense. Las estadísticas muestran que en 1998, un millón de mujeres menores de veinte años quedaron embarazadas;

un cuarenta y tres por ciento se embarazó al menos una vez a esa edad[2]. Muchas adolescentes apenas si han dejado la niñez y ya tienen hijos. Los adolescentes deciden participar en actividades sexuales para sentir que tienen un sitio, pero la mayoría afirma no haber tomado decisiones conscientes en cuanto a la paternidad. En lugar de tratar con la raíz del problema, la mayoría de los estadounidenses llegan a un compromiso con los adolescentes y aprueban su conducta promiscua mientras estén «educados» y protegidos como es debido. Aunque este quizá sea un paso por el buen camino, poco hace para resolver el problema. Dejemos que los números hablen solos:

► Ocho de cada diez chicas y siete de cada diez chicos están experimentados de manera sexual a los quince años de edad[3].

► La mayoría de los jóvenes comienzan a tener relaciones sexuales a mediados de la adolescencia, unos ocho años antes de casarse[4].

► El noventa y nueve por ciento de las adolescentes dice que su primera relación sexual fue voluntaria[5].

► Cuanto más jóvenes sean las mujeres cuando tienen relación sexual por primera vez, más probabilidades tienen de haber tenido una relación sexual indeseada o forzada. Siete de cada diez de esas mujeres tuvieron relaciones sexuales antes de los trece años de edad[6].

► Una adolescente sexualmente activa que no use anticonceptivos tiene un noventa por ciento de las probabilidades de quedarse embarazada dentro de un año[7].

► Cada año, casi un millón de mujeres adolescentes, un diez por ciento de todas las mujeres entre quince y diecinueve años de edad, y un diecinueve por ciento de quienes han tenido relaciones sexuales, se quedan embarazadas[8].

► Los índices de embarazo entre adolescentes son mucho más elevados en los Estados Unidos que en muchos otros países desarrollados[9].

► Un trece por ciento de todos los nacimientos son de adolescentes[10].

Los embarazos entre adolescentes tienen mucho peso en nuestra sociedad y nos afectan a todos. «Los embarazos de adolescentes cuestan a la sociedad miles de millones de dólares al año. Hay casi medio millón de niños de madres adolescentes cada año. La mayoría de esas madres no están casadas, y muchas terminarán en la pobreza y viviendo de la beneficencia. Cada año solo el gobierno federal gasta unos cuarenta mil millones para ayudar a familias que comenzaron con nacimientos de madres adolescentes»[11]. La sociedad estadounidense tiene que encargarse de los cheques por las malas elecciones hechas por nuestros propios adolescentes.

Altos índices de pobreza también están relacionados con elevados índices de embarazos de adolescentes. Las adolescentes con altas expectativas educativas y que tienen padres con altas expectativas educativas para sus hijas tienen menos probabilidades de experimentar un embarazo. Los estudios muestran que permanecer en la escuela reduce las conductas arriesgadas desde el punto de vista sexual. Los que se educan en la pobreza tienden a valorar la gratificación a corto plazo en lugar de la planificación a largo plazo. La mayoría de las adolescentes quiere sus embarazos. Un mal rendimiento académico y la pobreza conducen al embarazo en lugar de que un embarazo temprano lleve a dejar la escuela y a una vida de pobreza. La comunidad de los negocios se ve afectada al final. «Demasiados niños comienzan la escuela sin preparación para aprender, y los maestros se ven abrumados tratando de resolver problemas que comienzan en el hogar. Un cuarenta y cinco por ciento de los primeros nacimientos en los Estados Unidos son o bien de mujeres que no están casadas, de adolescentes o que carecen de graduación, lo cual significa que demasiados niños, los obreros del mañana, nacen en familias que no están preparadas para ayudarlos a tener éxito»[12]. Todo esto produce una baja calidad de ética laboral que puede afectar a toda la comunidad comercial.

Las mujeres que comienzan la maternidad en la adolescencia tienen más hijos, se llevan menos tiempo y tienen más partos indeseados que otras mujeres. Los bebés de madres adolescentes tienen más probabilidades de que les críen en hogares pobres dirigidos por madres solteras. Las madres jóvenes y solteras tienen probabilidad de recortar su educación, dañando de forma permanente su estatus ocupacional y limitando su poder adquisitivo.

A fin de impedir que aumenten los índices de embarazo en las adolescentes, debemos abordar las causas. Algunos profesionales dicen que una pérdida externa de control y una mala autoestima son precursoras del embarazo.

¿Qué puede hacerse para ayudar a luchar contra los embarazos indeseados en adolescentes? Desde un punto de vista secular, nuestra solución es educar a nuestros adolescentes respecto a las ramificaciones que tiene la relación sexual y enseñarles a protegerse de embarazos indeseados y enfermedades de transmisión sexual. Según los números, parece como si esto hubiera funcionado hasta cierto extremo. «Nueve de cada diez mujeres sexualmente activas y sus parejas utilizan un método anticonceptivo, aunque no siempre con regularidad y como es debido»[13]. El método que las adolescentes utilizan con más frecuencia es la píldora (44%), seguido por el preservativo (38%). Cerca del 10% confía en el método inyectable, un 4% en la retirada y un 3% en el implante[14]. Como se puede ver, esos métodos han causado un impacto, pero siguen sin acabar con los cientos de miles de embarazos de adolescentes que se producen cada año en los Estados Unidos.

Otra solución es la abstinencia. Es el único método que garantiza un cien por cien del índice de éxito, y está obteniendo cada vez más apoyo por parte de la comunidad secular. Se ha observado que cuando se elevan los índices de virginidad de los adolescentes, disminuye el índice de embarazos en adolescentes[15]. El presidente Bush afirmó en su discurso sobre el estado de la unión en 2004 que iba a doblar la cantidad de fondos para la educación sobre la abstinencia[16]. En 1 Tesalonicenses 4:3 se nos dice: «Que se aparten de la inmoralidad sexual», y Hebreos 13:4 dice: «Tengan todos en alta estima el matrimonio y la fidelidad conyugal». Como cristianos, esta debería ser la única solución.

Desde una perspectiva más pragmática, la prevención de los embarazos en adolescentes debería incluir que los adolescentes participen más en la comunidad, la iglesia, los deportes, el trabajo y las actividades escolares. La actividad sexual es con frecuencia el resultado de no tener nada constructivo que hacer. Los jóvenes deberían desarrollar sus propios estándares de conducta con el sexo opuesto, incluyendo las citas con otras parejas o con grupos, evitar las relaciones de noviazgo hasta más adelante en su adolescencia, participar en actividades sanas y mantener frenos razonables en sus citas.

En el sentido bíblico, nuestros adolescentes deben guardar sus corazones, mentes y emociones contra las malas decisiones. «Por sobre todas las cosas cuida tu corazón, porque de él mana la vida» (Proverbios 4:23). Su modo de pensar y su toma de decisiones podría llegar a corromperse si no guardan sus corazones. Es el dicho de que lo que entra, sale. La sabiduría procura entender los caminos de Dios y andar en ellos.

Relación sexual prematrimonial

A LOS DIECISIETE AÑOS DE EDAD, John era un veterano bien parecido del instituto con una estupenda personalidad y una sonrisa que encajaba con ella. Popular debido a su capacidad deportiva, pronto aprendió que tal reconocimiento implicaba ciertas expectativas. «Desde luego, siempre había presión de otros compañeros de equipo y otros muchachos para tener relaciones sexuales. Yo era un jugador de fútbol... y, a decir verdad, las chicas te persiguen. Sin embargo, la Biblia es clara: nada de relación sexual hasta el matrimonio». Ahora que tiene dieciocho años y estudia comercio en la universidad, John dice que lo principal que le ayuda a mantener un estándar bíblico de pureza es un firme énfasis en sus objetivos. «No he cedido a las drogas, el alcohol ni la relación sexual prematrimonial porque veo dónde eso ha llevado a muchos de mis compañeros. Uno tiene que perseverar en la oración y saber lo que quiere de la vida. Uno no quiere ponerse límites. Tener bebés o el SIDA no está en tus planes. Si estás centrado en tus objetivos, la presión de los pares no debería perturbarte. He visto a algunas muchachas y muchachos cristianos que comenzaron a tener relaciones sexuales y cambiaron. Siguen yendo a la iglesia, pero sus vidas espirituales se vuelven una farsa. Cuando estás haciendo algo malo siempre y lo sabes, tu vida espiritual se vuelve vacía y te alejas cada vez más de Dios»[1].

La relación sexual prematrimonial es contacto sexual antes del matrimonio. Este problema está enfocado ante todo en los adolescentes que deciden perder su virginidad, ya sea debido a la presión de los pares, la necesidad de sentirse queridos o amados, la presión de novios o novias, o querer aceptación. Ya no hay una expectativa de «reservarse para el matrimonio». Se ha convertido en una opción. El instituto Allen Guttmacher indica que un 93% de las muchachas adolescentes encuestadas dice que su primera relación sexual fue «voluntaria». Sin embargo, una cuarta parte también dice que fue «indeseada»[2]. En una encuesta realizada para la campaña nacional para la prevención del embarazo en adolescentes, un 55% de los chicos y un 72% de las chicas que eran sexualmente activos deseaban haber esperado más tiempo[3].

La Biblia dice: «Huyan de la inmoralidad sexual. Todos los demás pecados que una persona comete quedan fuera de su cuerpo; pero el que comete inmoralidades sexuales peca contra su propio cuerpo» (1 Corintios 6:18). A muchos jóvenes se les ha advertido sin cesar acerca de los peligros físicos, emocionales y espirituales de la intimidad sexual prematrimonial. A pesar de eso, la pasión sexual, la curiosidad y el deseo de sentirse amado son impulsos potentes. A veces solo después que los adolescentes se rinden a la atracción de la relación sexual reconocen al final que no es bueno para ellos ahora. Compartir tal intimidad es deshonesto e inmoral cuando no incluye un compromiso permanente y mutuo en el matrimonio.

Sin embargo, una vez que los jóvenes han «llegado hasta el final», ¿es demasiado tarde para darse la vuelta? Claro que no. El peor error que la gente puede cometer es comenzar a pensar que ya que no son vírgenes, no importa si siguen siendo sexualmente activos. La virginidad física nunca puede recuperarse, pero lo que más importa es la pureza, la inocencia, la virginidad de nuestros corazones, y eso siempre se puede renovar. Dios promete: «¿Son sus pecados como escarlata? ¡Quedarán blancos como la nieve! ¿Son rojos como la púrpura? ¡Quedarán como la lana!» (Isaías 1:18). Un concepto cada vez más popular es la virginidad «secundaria». Para quienes no son vírgenes, este es un compromiso a permanecer sexualmente puros hasta el matrimonio. Aún sigue siendo cierto 2 Corintios 5:17, hasta en un contexto sexual: «Por lo tanto, si alguno está en Cristo, es una nueva creación. ¡Lo viejo ha pasado, ha llegado ya lo nuevo!».

Desde el punto de vista físico, la virginidad no puede recuperarse, pero en cuanto a lo espiritual todo llega a ser nuevo. Debemos ofrecer esperanza, hasta para los adolescentes con experiencia sexual que quieran comenzar a hacer las cosas como es debido.

Un ejemplo común de relación sexual prematrimonial es el de una muchacha de quince años que perdió su virginidad con su novio de dieciséis años porque «creía que la amaba». Aunque este es un error común entre los adolescentes, Dios dice que sigue habiendo esperanza. Aun así, demasiados jóvenes no saben que pierden partes de sus almas con las parejas sexuales que tienen y con cada persona «de la que se enamoran». Cada día los adolescentes vagan por un campo de minas moral. No comprenden que bíblicamente se han hecho uno con las varias personas con las que han tenido relaciones sexuales, y sus proba-bilidades de tener un matrimonio exitoso continúan disminuyendo. No comprenden que las enfermedades que podrían contraer o esos embarazos indeseados podrían arruinar sus vidas. En la actualidad, hasta el gobierno federal se ha implicado con más de ciento treinta y cinco millones de dólares, a fin de emplearlos cada año en la educación sobre la abstinencia. El secretario de salud y servicios humanos dice: «Cuando los adolescentes se vuelven sexualmente activos, puede tener efectos negativos en su salud física y emocional»[4].

Quizá los adolescentes comprendan todo esto, sean conscientes de los peligros y desventajas, y hasta pueden darles a otros información sobre la relación sexual que viene de los libros. No obstante, deciden vivir vidas inmorales. ¿Por qué? No podemos culpar de todo a la presión de los pares, aun cuando los estudios revelen que a pesar de la estructura familiar, la riqueza, la educación y la popularidad de la familia de una chica, sus amigos eran los que más influían cuando se trataba de cuándo tener relaciones sexuales. Otros estudios revelan que el alcohol y el abuso de sustancias (hasta fumar) aumentaban de modo significativo los riesgos sexuales que se emprendían. El abuso físico y sexual casi siempre conducía a un mayor riesgo de conducta sexual.

Nosotros como cristianos debemos difundir el aviso sobre el porqué está mal la relación sexual prematrimonial. Los adolescentes necesitan saber que la relación sexual es maravillosa, pero solo dentro de los vínculos del matrimonio, como quiso Dios. Si los adolescentes no defienden algo, caerán por cualquier cosa. Debemos alentarlos a esperar hasta el matrimonio, a tener algo más que anillos que darles a sus cónyuges. «Project Reality», un grupo de abstinencia sexual con base en Illinois, preguntó a diez mil adolescentes: «¿Pueden controlarse los impulsos sexuales?». Un 51% dijo que siempre y solo un 3,5% dijo que nunca[5].

Hay demasiados adultos que piensan que pueden eliminar todos los mensajes sobre sexualidad para sus hijos adolescentes, pero los adolescentes se enfrentan a problemas sexuales en la escuela, cuando los padres no están presentes. Necesitan edificar una firme base de fe a fin de que, cuando llegue la tentación, puedan decir: «Soy lo bastante fuerte para esperar», en lugar de: «Mis padres nunca se enterarán». Hay que informarles sobre lo maravilloso que es el matrimonio en especial si la actividad sexual espera hasta la noche de bodas. Debra Haffner, ex presidenta de SIECUS (Concejo de los Estados Unidos de información y educación sexual) dice: «Deberían estar hablándoles a sus hijos sobre su comportamiento, las expectativas que tienen de ellos, sus valores. Es necesario que se impliquen en la vida de sus hijos. A menudo los padres dejan de hacer preguntas cuando los hijos llegan a la adolescencia. Los padres no pueden dejar de ser padres porque sus hijos estén en el instituto»[6].

Se debería alentar a los adolescentes a participar en concentraciones de abstinencia, como *El verdadero amor espera*. Un importante estudio en la revista *American Journal of Sociology* reveló que los adolescentes que hicieron promesas de abstinencia tenían un treinta y cuatro por ciento menos de probabilidad de tener relaciones sexuales prematrimoniales que otros, y eran mucho mayores cuando al fin tenían relaciones sexuales[7]. Los adolescentes necesitan sugerencias sobre cómo mostrar afecto que no implique la relación sexual. Necesitan «trazar la línea» a fin de que no haya malentendidos cuando se trata de «cruzar la línea». Los adolescentes están dispuestos a disciplinarse a sí mismos por cosas que quieren. Se levantan temprano para asistir a ensayos y comienzan con meses de antelación a entrenarse de manera física y a desarrollar destrezas para la competición. Pueden ser disciplinados también en sus vidas sexuales si tienen la información adecuada, la motivación interior apropiada y el aliento exterior de quienes más los quieren. Guardar la relación sexual para el matrimonio no es solo una solución de sentido común, sino también una solución de sentido cristiano.

Consumo de medicamentos recetados

E N ALGÚN LUGAR HOY una madre agoniza mientras su hijo, intoxicado de tranquilizantes, destruye otra reunión familiar más. En otro lugar, un joven escribe su propia receta de sedantes en un bloc que robó de la oficina de un médico. Y en un respetado hospital, una enfermera se inyecta Demerol en sus venas e inyecta una solución salina a su paciente. Muchos jóvenes abusan de los medicamentos con receta o se vuelven adictos a ellos.

La juventud actual está usando medicamentos como pastillas para dormir, Ritalin, pastillas adelgazantes, OxyContin y Percocet para su propia gratificación personal. Según la Red sobre Advertencia de Abuso de Medicinas (DAWN [por sus siglas en inglés]), catorce de las veinte principales sustancias controladas de las que más se abusa en los Estados Unidos son medicinas con receta[1].

Principales medicinas que más se consumen
alprazolam (Xanax)
amitriptilina (Elavil)
anfetamina
carisoprodol

clonazepam (Klonopin)
cocaína
diazepam (Valium)
d-propoxifeno (Darvocet N, Darvon)
fluoxetina (Prozac)
heroína
hidrocodone (OxyContin, Vicodin, Lorcet, Lortab)
lorazepam (Activan)
LSD
mariguana
metadona
metamfetamina (*speed*)
oxicodone (Percocet 5, Percodan, Tylox)
trazodone (Desyrel)
benzodiacepina no especificada
ácido valproico[2]

Según la encuesta nacional de 1999 sobre abuso de medicinas, se calculó que un millón seiscientos mil estadounidenses utilizaban analgésicos con receta de manera no médica por primera vez. Los datos nacionales de 1999 calculaban que catorce millones ochocientos mil estadounidenses eran usuarios de medicinas con receta[3]. Muchos que abusan de las medicinas buscan tratamiento para trastornos comunes que con frecuencia pueden relacionarse con medicinas. Sin embargo, como señala el Dr. H. Westley Clark, director del Centro para el Tratamiento de Abusos, en el Ministerio de Salud y Servicios Humanos de los Estados Unidos, si los médicos descuidan preguntar a sus pacientes sobre su uso de medicinas, descuidan tratar los problemas[4]. El aumento más extraordinario en nuevos usuarios de medicinas con receta para propósitos no médicos se produce en personas de entre doce a diecisiete años y entre dieciocho a veinticinco años. Además, los jóvenes entre doce a catorce años mencionaron los psicoterapeutas (por ejemplo: analgésicos o estimulantes) como una de dos principales medicinas utilizadas[5].

Los adolescentes y jóvenes universitarios están utilizando esas medicinas de manera ilegal en la mayoría de los casos para evadirse de sus problemas. Esos medicamentos con receta pueden encontrarse también en la Internet. Una página anuncia: «Aprenda cómo obtener legalmente cualquier medicina o esteroide anabólico en la Internet. ¡Descubra las mejores farmacias en línea!»[6]. Los adolescentes que utilizan estos medicamentos no son todos malos. A un gran número de jóvenes les atraen las medicinas, desde alumnos con estupendas calificaciones hasta niños con problemas, animadoras y estrellas de los deportes, al igual que quienes se ausentan de la escuela y los marginados. Muchos adolescentes utilizan medicinas debido a una falta de autoestima, a una necesidad de encajar. Quieren ser populares o que le conozca el grupo popular. Un 20% de las muchachas adolescentes y un 13% de los muchachos adolescentes dijeron que tomaron prestadas o compartieron medicinas recetadas con amigos y familiares, según un estudio del Centro para el Control y la Prevención de Enfermedades[7]. De particular preocupación son las medicinas contra el acné, que pueden ser peligrosas para las embarazadas. En la encuesta, un 10,5% de las muchachas que dijo que compartían medicinas contra el acné lo hacían porque tenían «granos o piel grasa»[8].

Los siguientes factores de riesgo también se ajustan para la adicción:

▶ Estado de salud que requiere medicinas contra el dolor
▶ Un historial familiar de adicción
▶ Exceso de consumo de alcohol
▶ Fatiga o exceso de trabajo
▶ Pobreza
▶ Depresión, dependencia, mala autoestima, obesidad

La siguiente lista es de posibles señales de advertencia:

Físicas: fatiga, repetidas quejas de salud, ojos rojos y brillantes, tos permanente
Emocionales: cambios de personalidad, cambios de humor repentinos, irritabilidad, conducta irresponsable, baja autoestima, mal juicio, depresión y una falta general de interés
Familiares: comenzar discusiones, romper reglas o apartarse de la familia

Escolares: menor interés, actitudes negativas, calificaciones más
bajas, muchas ausencias, problemas de disciplina
Sociales: nuevos amigos que están menos interesados en el hogar
y las actividades escolares, problemas con la ley, y cambios a
estilos menos convencionales en ropa y música[9]

El siguiente gráfico podría ayudar a reconocer ciertas recetas
populares y disponibles:

Tipo de medicina	Marcas comunes	Efectos fisiológicos	Efectos adversos
Opiáceos / analgésicos	Dilaudid, Lorcet, Lortab, OxyContin, Percocet, Percodan, Tylox, Vicodin	Afecta la región cerebral que actúa en el placer, dando lugar a la euforia	Problemas respiratorios letales, depresión
Agentes depresivos (benzodiacepinas, tranquilizantes, barbitúricos, sedantes)	Valium, Xanax	Reduce la actividad cerebral causando el incremento de un efecto soñoliento o calmante	Ataques, problemas respiratorios, depresión, disminución del ritmo cardíaco
Estimulantes	Adderall, Concerta, Ritalin	Aumenta la actividad cerebral, produciendo un aumento del estado de alerta, la atención y la energía	Ritmo cardíaco irregular, insuficiencia del sistema cardiovascular, ataques, hostilidad o sentimientos de paranoia

Los padres necesitan ser cada vez más conscientes de las vidas de sus hijos y no depender de que el grupo de jóvenes los madure sin emplear algún esfuerzo. Antes de permitir que los adolescentes se lleven a la escuela sus propias medicinas, los padres deberían determinar si los alumnos son capaces de administrarlas y se comportan de modo responsable, según la Academia Americana de Pediatría (AAP). Por la seguridad de todos los adolescentes, la AAP recomienda que las escuelas desarrollen sistemas de rendimiento de cuentas para los alumnos que llevan y se administran sus medicinas[10].

Muchos están haciendo poco para ayudar a sus pacientes adictos a los medicamentos a conquistar la adicción. Casi una tercera parte de los mil ochenta médicos encuestados dijo que no les preguntaban por rutina a los nuevos pacientes si utilizaban medicinas ilícitas, y un quince por ciento afirmó que no ofrecía ninguna intervención de manera periódica a los pacientes que decían que utilizaban medicinas[11]. Para los adolescentes adictos a las medicinas recetadas, la rehabilitación implicará tres opciones. La primera es farmacológica. Hay medicinas que pueden aliviar los síntomas de no tomar otras, tratar las sobredosis o ayudar a vencer los deseos de las medicinas. La segunda es de comportamiento. Los tratamientos de comportamiento enseñan a las personas cómo funcionar sin medicinas, cómo manejar los deseos, cómo evitar las medicinas y situaciones que pudieran conducir a su uso, cómo prevenir las recaídas, y cómo manejar las recaídas si se produjeran. Una tercera opción debería ser en realidad una combinación de las dos primeras opciones[12]. Después que todas las demás opciones que implican a la familia no logran su objetivo, la tercera opción es un hogar cristiano de rehabilitación, una familia de acogida o un campamento de trabajo para jóvenes. Algunas organizaciones cristianas juveniles ministran a los adolescentes con adicciones a medicinas. La dinámica espiritual no es garantía, pero el índice de éxito es mucho más elevado que el de los programas que no hacen tal hincapié.

«Más valen dos que uno, porque obtienen más fruto de su esfuerzo. Si caen, el uno levanta al otro. ¡Ay del que cae y no tiene quien lo levante!». (Eclesiastés 4:9-10)

Lenguaje profano

EL LENGUAJE PROFANO SE HA vuelto una moda en toda nuestra sociedad. Algunas estadísticas afirman que el lenguaje profano en público en los Estados Unidos ha ascendido un ochocientos por ciento[1]. Lo oímos por todas partes, en eventos deportivos profesionales o aficionados o dentro de las familias. La industria del entretenimiento encabeza el reparto por su generalizado uso de las palabrotas, como si todo el mundo las aprobara. Sin duda alguna, el uso y la frecuencia de ciertas palabras en películas dan como resultado mejores índices de audiencia, que es lo que quiere la industria del cine. Las principales cadenas de televisión han hecho su parte a la hora de introducir palabras soeces en sus horas de mayor audiencia. Hasta casi todos los cómicos no pueden hacerlas a un lado y las utilizan para asombrar o para obtener carcajadas, mediante un lenguaje crudo e inmoral. Uno no puede dejar fuera la Internet ni las páginas de charla con respecto a este comportamiento. Stephen Steinberg, director ejecutivo de la comisión nacional de sociedad, cultura y comunidad en la universidad de Pensilvania, cita el anonimato personal en la sociedad, en especial en la Internet, como factor que fomenta el lenguaje profano. Las personas tienen más probabilidad de incitar a extraños sin rostro en la Internet con lenguaje que nunca utilizarían delante de personas cara a cara[2].

Ha habido mucho debate sobre las palabrotas en el ámbito público. Si caminamos por las instalaciones de cualquier escuela de primaria o de secundaria, lo más probable es que oigamos una variedad de palabras malsonantes. Algunos prominentes incidentes de lenguaje soez han atraído la atención no solo del público que escuchaba, sino también de la Comisión Federal de las Comunicaciones (FCC [por sus siglas en inglés]). Por ejemplo, durante la transmisión de los premios *Golden Globe* en la NBC, Bono, solista de U2, recibió su premio y exclamó: «¡Esto es realmente, realmente [palabrota] brillante!». Numerosas «meteduras de pata» de celebridades en transmisiones en directo han necesitado mayores retrasos en tiempo a fin de que los productores pudieran suprimir el lenguaje ofensivo. Hasta los atletas profesionales han entrado en el círculo con sus arrebatos emocionales, sin pensar en absoluto en los jóvenes atletas que imitan cada uno de sus movimientos. El presidente de la FCC ha dicho que la mejor respuesta al lenguaje indecente es eliminarlo, lo cual dará como resultado menores índices de audiencia para programas que transmitan tales contenidos y que, por fortuna, desaparezcan del mercado[4]. Uno esperaría eso, pero hay que tomar en consideración la decencia común y la protección de los menores.

La Escritura nos advierte contra el mal uso del lenguaje de manera general, pero no especifica qué palabras hay que evitar. Algunas palabras cambian de significado con el paso del tiempo. Otras palabras tienen connotaciones culturales implícitas. La Escritura menciona las «palabras indecentes» (Efesios 5:4). El «lenguaje obsceno» (Colosenses 3:8) denota palabras que son profanas o sucias. Las palabras que «seducen con los instintos naturales desenfrenados» (2 Pedro 2:18) hacen aparecer imágenes sexuales e ideas ilícitas. La «conversación obscena» (Efesios 4:29) es lenguaje dañino para otros desde el punto de vista moral. La Biblia hasta desalienta las «conversaciones necias» (Efesios 5:4), o palabras que sean solo tontas o fatuas. Algunas palabras se vuelven profanas cuando los significados sagrados se tratan de maneras comunes y triviales (por ejemplo: ¡Ah, mi Dios!). Daremos cuentas a Dios de todos esos tipos de palabras. El lenguaje profano es malo para nuestra sociedad, y no hace nada por la cortesía y la amabilidad entre las personas. Ofende, convierte las conversaciones en discusiones y conduce a la hostilidad y la violencia. El lenguaje profano daña el idioma y es una manera de hablar perezosa, sin ningún pensamiento creativo.

Los líderes de jóvenes, padres y otros adultos que se preocupan pueden utilizar las siguientes sugerencias para ayudar a los adolescentes a vencer las palabrotas[5]:

1. Reconocer que las palabrotas dañan relaciones y hacen que uno pierda respeto.

2. Eliminar las palabrotas casuales realizando un esfuerzo consciente por detener cualquier mala palabra que salga con facilidad. Cambiar esa palabra.

3. Pensar de modo optimista. Esto dará una perspectiva más positiva de la vida, reduciendo la necesidad de expresarse uno mismo mediante malas palabras.

4. Practicar la paciencia, lo cual reducirá la mayoría de las razones para las expresiones profanas.

5. Hacer frente, no maldecir. Tratar los problemas de manera madura y adulta, no con lenguaje profano.

6. Dejar de quejarse. A nadie le gusta una persona que se queja. Hay que sobreponerse a eso o al menos guardarlo para uno mismo.

7. Utilizar palabras alternativas. El idioma es colorido y abundante. Utilizarlo con sabiduría. Algunas palabras son divertidas y otras son poderosas.

8. Ser educado en lugar de ser áspero e insultante.

9. Pensar en lo que uno debería haber dicho. No podemos retirar nuestras palabras, pero podemos aprender de nuestros errores de vocabulario.

10. Trabajar en esto. Nada llega de modo fácil ni sin esfuerzo. Uno puede cambiar sus hábitos de vocabulario haciendo las elecciones adecuadas.

Las Escrituras también abordan esta conducta. «El que es entendido refrena sus palabras» (Proverbios 17:27).

«Que su conversación sea siempre amena y de buen gusto». (Colosenses 4:6)

«El que quiera amar la vida y gozar de días felices, que refrene su lengua de hablar el mal y sus labios de proferir engaños». (1 Pedro 3:10)

Deserción escolar

LOS ALUMNOS DEL instituto en los Estados Unidos están abandonando la escuela en índices alarmantes. El Departamento de Educación sitúa el por ciento de deserción escolar entre las edades de dieciséis a veinticuatro años en la población civil, no institucionalizada, en un once por ciento[1]. Sin embargo, un nuevo estudio realizado por el Centro para Estudios de Mercado Laboral en la universidad *Northeastern* muestra el índice de deserción en un treinta por ciento. El estudio también revela que los varones tienen un treinta por ciento más de probabilidad de abandonar la escuela que las mujeres[2].

¿Por qué la diferencia entre el cálculo del Departamento de Educación y el que realizó el Centro para Estudios de Mercado Laboral? Los métodos utilizados para generar, recopilar y analizar los cálculos gubernamentales tienden hacia un número menor del que existe en realidad. Esto se debe a que:

1. El Departamento de Educación debe confiar en datos menos exactos para generar el índice nacional de deserción. Cada año de catorce a dieciséis Estados no informan sus índices de deserción escolar utilizando definiciones comunes y recopilación de datos.

2. Los que están en el grupo de edades que adquiere el GED (Diploma General de Equivalencia) se cuentan como graduados del instituto, aunque no recibieron diplomas del instituto.

3. Los que van a prisión durante sus años del instituto no se cuentan en los números del Departamento de Educación, aunque muchos abandonaron la escuela, o tuvieron que hacerlo, debido a sus situaciones.

4. Los jóvenes pobres y pertenecientes a minorías casi nunca se cuentan como desertores debido a sus transitorias condiciones de vida y situación de empleo. Por lo tanto, el por ciento del Centro para Estudios del Mercado Laboral indica que cada vez más jóvenes están abandonando el instituto cada año[3].

El panorama para quienes abandonan la escuela no es bueno y sus futuros son sombríos. «Los individuos que no obtienen un diploma del instituto se enfrentan a difíciles perspectivas económicas durante toda su vida laboral»[4]. Durante su vida laboral, los desertores del instituto en los Estados Unidos pueden esperar ganar casi cuatrocientos cincuenta mil dólares menos que sus homólogos que obtienen diplomas del instituto, aunque no tengan educación universitaria. Este alto número de deserción, en especial de varones, es un caso clásico de «pérdida-pérdida» para quienes no terminan el instituto y para la sociedad en general. Los números continuarán elevándose a menos que el país adopte una postura para reducir este creciente número de deserciones. El problema debe recibir más atención por parte de quienes hacen política en el país, el estado y la educación.

En 2 Timoteo 2:21 se nos dice que estemos «preparado para toda obra buena». En 1 Pedro 3:15 se nos advierte: «Estén siempre preparados para responder». Permanecer en la escuela es la mejor opción para estar preparado en todas las esferas de la vida.

Fiestas delirantes

{raves}

TODOS HEMOS OÍDO sobre las fiestas *raves* en las noticias de la noche. Hemos visto imágenes de jóvenes bailando y que parecen estar pasándolo bien. Esas fiestas de baile de mucha energía y toda la noche y los clubes que presentan música *tecnopop* y trance con mucha velocidad y un estruendoso ritmo no son tan inocentes como quizá parezcan. Las fiestas comenzaron como un movimiento clandestino en Europa, y han evolucionado hasta ser una cultura mundial de fiesta organizada y comercializada en todo el mundo. Es lamentable que, mientras la música y las luces son esenciales en las fiestas, las drogas como MDMA (éxtasis), ketamina, GHB, Rohipnol y LSD también se han convertido en una grave parte de esta cultura de fiestas.

Las primeras fiestas *raves* en los Estados Unidos se realizaron a finales de los años ochenta en San Francisco y Los Ángeles, y aparecieron en otras áreas metropolitanas principales a principios de los noventa. Los adolescentes sustituyeron a los pioneros de las fiestas *raves*, y una nueva cultura comenzó a crecer. Los actos se anunciaron mucho, eran menos secretistas y se comercializaron. Aprovechándose de la popularidad de las fiestas delirantes, las industrias especializadas pusieron a la venta ropa, muñecos, drogas y música. Las fiestas *raves* actuales incluyen altas cuotas de entrada, un amplio uso de drogas, concesiones muy caras, pistas de baile oscuras y peligrosamente abarrotadas, y «salas de relajación» donde los adolescentes acuden para tranquilizarse y a menudo participan en abierta actividad sexual[1].

Muchos dueños de clubes y promotores de fiestas *raves* fomentan el uso de drogas, de MDMA en concreto. Los clubes proporcionan agua embotellada y bebidas deportivas para mantener la hipertermia y la deshidratación bajo control, chupetes para detener el castañeteo involuntario de los dientes, inhaladores nasales de mentol, luces químicas y tubos de neón para realzar los efectos de la droga. Algunos folletos de fiestas *raves* presentan el repetido uso de las letras «E» y «X», que son símbolos de MDMA, o el término *rolling*, que se refiere a una subida de MDMA[2]. Quizá haya visto señales o folletos ovales que contienen la palabra «ONE». La *o* y la *n* son un tanto menores que la *e*. Para quienes lo saben, esto significa «en éxtasis» e indica que habrá una fiesta delirante[3]. El éxtasis es una droga muy vinculada a las fiestas *raves*. Esta droga está de moda entre los adolescentes de clase media y explotó en popularidad durante los últimos años. El Organismo para la Vigilancia y el Control de Drogas (DEA [por sus siglas en inglés]) calcula que más de dos millones de pastillas de éxtasis pasan de contrabando a los Estados Unidos cada semana[4]. Debido a su creciente popularidad, la cultura de las fiestas *raves* se ha extendido a poblaciones locales. Ninguna comunidad, sea cual sea su tamaño, está libre de la cultura de estas fiestas.

El principal propósito de una fiesta delirante es colocarse. No es un lugar para el alcohol experimental ni el uso de drogas. ¡Las fiestas *raves* son peligrosas!

Además, estas fiestas son refugios para los depredadores sexuales. Debido a que las fiestas *raves* se relacionan con un severo uso de drogas, los depredadores sexuales persiguen a muchos adolescentes. Esas drogas, cuando se toman sin conocimiento, dejan a la persona inconsciente hasta el punto de no ser capaces de consentir en el sexo[5]. Las agresiones sexuales facilitadas por las drogas son una de las principales razones por las que la violación de varones está en aumento. Esas drogas casi siempre se echan en bebidas que se dejaron desatendidas, que compraron personas extrañas o cuando las víctimas no veían cuando se sirvieron. Una

vez consumidas, las personas sienten náuseas y reciben «ayuda» de sus
atacantes, quienes se ofrecen a llevarlos a sus casas o a llevarlos fuera
para tomar el aire. Las víctimas se despiertan desde una hasta doce
horas después sin ningún conocimiento de las agresiones. Sin embargo,
puede que sufran de «escenas retrospectivas» de las agresiones. He aquí
una manera de que sus hijos adolescentes entiendan esto. Eche frijoles
secos o pedazos de macarrones en sus latas de refrescos cuando no
estén prestando atención. Luego recuérdeles que solo se necesitan unos
segundos para que la gente altere sus bebidas en fiestas *raves*.

    ¿Cómo pueden los padres o quienes trabajan con jóvenes decir
si los adolescentes acuden a este tipo de fiestas o apoyan esta clase de
comportamiento? Un buen punto de comienzo es entender cuál es la
ropa y la parafernalia de las fiestas *raves*. Quienes acuden a las fiestas
se visten con ropa cómoda, ancha, en varias capas para quitársela
con facilidad para evitar tener demasiado calor, con shorts anchos o
pantalones anchos. Las chicas con frecuencia llevan ciertos vestuarios.
Partes de arriba de biquinis, tops ajustados o tops con espaldas abiertas.
También añaden accesorios brillantes, como pulseras, collares y aretes
hechos de caramelos de azúcar con forma de pastilla o de plástico.
Puede que lleven chupetes o pirulís. Los que utilizan MDMA con
frecuencia llevan en el interior mascarillas de pintor con vapor de
mentol para realzar los efectos de la droga. Barras resplandecientes,
collares resplandecientes y pequeñas barras resplandecientes que se
ponen en el ombligo proporcionan estímulo visual y profundizan los
efectos alucinógenos del uso de drogas en fiestas *raves*[6].

    La buena noticia es que el gobierno federal está comenzando a
tomar duras medidas contra el escenario de fiestas *raves* en los Estados
Unidos. Las autoridades acusaron a tres organizadores de estas fiestas
en Nueva Orleans cuando cientos de asistentes tomaron sobredosis en
sus fiestas, siendo el último una muchacha de diecisiete años que murió.
El abogado de la fiscalía, Eddie Jordan, afirmó que los organizadores
explotaban a los adolescentes diseñando fiestas delirantes para un uso
generalizado de drogas. Muchos otros estados han pedido a Jordan
reproducciones del caso a fin de poder seguir las mismas estrategias
para eliminar las fiestas *raves* en sus ciudades. La policía local está
trabajando con otras agencias para eliminar estas fiestas en Estados
por todo el país. Una estrategia es ejecutar las violaciones del código,
como de incendios, de ocupación y el establecimiento de frenos para

los adolescentes en un intento de eliminar las operaciones de las fiestas *raves*[7].

El apóstol Pedro hace un ruego en 1 Pedro 2:11-12: «Queridos hermanos, les ruego como a extranjeros y peregrinos en este mundo, que se aparten de los deseos pecaminosos que combaten contra la vida. Mantengan entre los incrédulos una conducta tan ejemplar que, aunque los acusen de hacer el mal, ellos observen las buenas obras de ustedes y glorifiquen a Dios».

CAPÍTULO

37

Metilfenidato
{Ritalin}

MATTHEW SMITH comenzó a tomar Ritalin a los seis años de edad. A los catorce seguía tomando Ritalin cuando de repente sufrió un colapso mientras practicaba monopatín y murió esa noche. El médico forense del condado de Oakland, Michigan, el Dr. Dragovic, determinó como causa de la muerte el Ritalin. La exposición tan extensa de Matthew a estimulantes fue la única explicación que pudo encontrar. Con presiones para que cambiara su conclusión, el Dr. Dragovic respondió: «No le estoy diciendo a la gente qué hacer con sus hijos [...] Esto es lo que hemos encontrado. Tómenlos o déjenlos»[1]. Algunos tiroteos en escuelas se han relacionado con el Ritalin. Al asesino del instituto de Oregón, Kip Kinkel, se le había dado la medicina. El alumno del instituto de Georgia, T.J. Solomon, había estado tomando Ritalin con anterioridad a su tiroteo a varias personas[2].

En el año 2000, más de seis millones de niños estadounidenses (de uno a ocho años de edad) tomaban Ritalin. Los Estados Unidos tienen menos de un cinco por ciento de la población mundial, pero es asombroso que represente el ochenta y cinco por ciento del consumo mundial de Ritalin. Durante los últimos diez años, ha habido un aumento del uso de

Ritalin en un quinientos por ciento[3]. Los alumnos diagnosticados con trastorno por déficit de atención e hiperactividad (TDAH) ingresan más dinero para el personal de las escuelas y programas debido al Acta de Educación de Individuos con Discapacidades (IDEA), que obliga a que «los niños que cumplan los requisitos reciban acceso a educación especial y servicios relacionados»[4]. No es necesario decir que las escuelas alientan a los padres a que les diagnostiquen a sus hijos TDAH. Algunos alumnos mayores pulverizan su Ritalin y lo esnifan, logrando colocarse de modo similar a la cocaína, en contraste con solo tomar sus píldoras donde se absorben con lentitud y normalidad[5].

Los médicos con frecuencia diagnostican demasiado ADD (trastorno por déficit de atención) y TDAH y recetan Ritalin a demasiados jóvenes. Las pautas pediátricas para diagnosticar TDAH son subjetivas. En el quinto grado, de un dieciocho a un veinte por ciento de los muchachos de raza blanca reciben medicinas para el TDAH. Este estudio sugiere que los criterios para diagnosticar TDAH varían en gran medida en los Estados Unidos, con algunos grupos que son diagnosticados en exceso y medicados en exceso[6]. Gretchen Lefever sugiere que en las escuelas donde se receta en exceso Ritalin, «los padres y los profesionales pueden tener ideas erróneas sobre la conducta de los niños pequeños, la cual puede haber contribuido a un por ciento muy elevado de niños pequeños que reciben medicinas psicotrópicas. Los estudios de seguimiento son necesarios para abordar asuntos tales como la apreciación de los profesionales de la falta de atención apropiada del desarrollo, la impulsividad y la hiperactividad, los métodos de los distritos escolares y el uso de medicinas para realzar el rendimiento de alumnos precoces o avanzados en lo académico»[7].

La organización sin ánimo de lucro de salud mental *Young Minds*[8] describe señales de TDAH: los niños podrían estar inquietos e incapaces de sentarse tranquilos, se distraen con facilidad, son incapaces de prestar atención, batallan en la escuela, en apariencia sin escuchar, perjudiciales en su juego y que toman decisiones precipitadas. Según el libro *Ritalin Nation*[9], los síntomas casi siempre comienzan cuando los niños son pequeños, y siempre antes de los siete años de edad. Alrededor de un uno o dos por ciento de los niños tienen TDAH, y es más común en los varones.

También según el autor de *Ritalin Nation*, muchos expertos creen que la enfermedad la causa un problema en una parte del cerebro que controla los impulsos y la capacidad de enfocarse, aunque pueden estar implicados otros factores, incluyendo los medioambientales[10]. Algunos profesionales de la salud están fomentando la exclusión de alergias a alimentos, problemas familiares, problemas en la escuela (como conflictos de personalidad con maestros y alumnos) o discapacidades de aprendizaje antes de apresurarse a recetar Ritalin.

Peter Wilson es el director de *Young Minds*. Dice que el Ritalin ayuda en un setenta por ciento de los casos, pero casi una tercera parte de los niños no responde. Cree que los diagnósticos adecuados son esenciales, y que hay que investigar más los problemas antes de hacer los diagnósticos. «Solo acudir al bote de pastillas y hacer que la gente se sienta bien por un tiempo, cuando no es necesario, es inquietante», dice Wilson. Teme que demasiados niños estén tomando medicinas recetadas de modo innecesario[11]. El profesor de psiquiatría Russell Barkley, de la universidad médica de Carolina del Sur, dice que clases pequeñas y atención individual puede ayudar a los niños con TDAH, pero las medicinas ayudan más[12]. El escritor Chris Mercogliano en su libro *Teaching the Restless: One School's Remarkable No-Ritalin Approach to Helping Children Learn and Succeed* afirma que a todos los niños, hasta a quienes se les ha diagnosticado TDAH, se les puede enseñar sin Ritalin[13].

Ruth Stark es una funcionaria profesional para la Asociación Británica de Trabajadores Sociales en Escocia. Dice que la medicación puede utilizarse para ahorrar debido a una falta de trabajadores formados y de tiempo. Afirma que las medicinas pueden ser útiles en situaciones de calma, pero que también pueden «nublar» la capacidad de concentración de la persona[14].

El crítico John Lang escribió: «Los estadounidenses quedarían horrorizados al saber que a dos millones de niños por todo el país sus padres y sus médicos les dan cocaína para hacer que se comporten mejor en la escuela, pero eso está tan cerca de la verdad que se necesita que un químico diga cuál es la diferencia. El efecto es casi el mismo. Esos niños están intoxicados»[15].

Aunque los estudios muestran que el Ritalin ayuda a los jóvenes a equilibrar sus emociones y energía, y a comportarse de manera socialmente aceptable, muchos adolescentes a quienes se les receta

Ritalin tienen necesidades insatisfechas e inestabilidad emocional en sus vidas. En lugar de buscar razones fisiológicas para los estallidos emocionales y el mal comportamiento social descontrolado, puede ser tan sencillo como que sus vidas, rutinas y repeticiones les dejen aburridos y frustrados. Sus reacciones podrían ser una manifiesta resistencia agresiva o ser pasivos al no prestar atención ni cumplir con las tareas de clase.

Aunque el debate continúa, los padres deberían evaluar lo que es mejor para sus hijos adolescentes. Los padres deberían tener en cuenta cualquier descuido de responsabilidad paterna que pudiera conducir a sus hijos hacia un mal comportamiento. Para algunos padres, el Ritalin se ha convertido en una droga de elección que sustituye la disciplina y la implicación de los padres en las vidas de sus hijos. Esto nunca debería tolerarse. Para otros padres, es solo una cuestión de educación y de información. Aunque los médicos recetan Ritalin, puede que no tengan razón. Los padres deberían obtener otras opiniones. Solo deberían estar de acuerdo en darles a sus hijos Ritalin después que sus propios médicos (no los de la escuela) decidan sobre la prescripción y estén satisfechos en cuanto a que todos los demás problemas, tanto médicos como de comportamiento, se eliminen por completo. Los adolescentes que toman Ritalin deberían hacer sus propias preguntas a sus padres y sus médicos. Los médicos y los padres por igual deben comprender que el Ritalin es un tratamiento, y no una cura. Es como utilizar aspirina para detener un dolor de cabeza. La medicina funciona, el síntoma se alivia, pero el problema subyacente aún tiene que abordarse.

«Y ustedes, padres, no hagan enojar a sus hijos, sino críenlos según la disciplina e instrucción del Señor» (Efesios 6:4). Los padres necesitan pensar dos veces en cuanto al Ritalin.

CAPÍTULO

38

Fugas

SISSI SE FUE DE SU CASA, no porque fuera gay, ni debido a un ambiente abusivo en su hogar, sino porque le molesta el control de los padres. A los quince años de edad, es una alumna brillante y una consumada violinista. Sissi prefiere dormir en parques y en casas de amigas que compartir la casa que siente que ya no es su «hogar». No quiere seguir las reglas de su madre (como hacer sus tareas antes de salir con sus amigas). La rebelión de Sissi ha llevado a que se traslade a sórdidos alojamientos compartidos en sórdidos suburbios, donde el tráfico de drogas es frecuente. Como la mayoría de los jóvenes de la calle, Sissi ha utilizado diversas drogas ilegales. Es una joven con problemas, y su confusión respecto a su lugar en el mundo la ha conducido a intentar suicidarse al igual que a las drogas. La madre de Sissi teme la llamada telefónica de la policía que le informe la muerte de su hija. Preferiría planear la fiesta de cumpleaños «de los dulces dieciséis» de Sissi en lugar de un funeral[1].

La ley de ayuda a niños perdidos de 1984 define a un niño perdido como cualquier individuo menor de dieciséis años de edad cuyo paradero lo desconozca el individuo que lo tiene a su cargo[2]. Según los segundos estudios nacionales de incidencia de niños perdidos, abducidos, huidos y despreciados, realizado por la Oficina de Justicia Juvenil y Prevención de la Delincuencia, hay más de un millón trescientos mil de tales niños, y casi ochocientos mil de ellos se dan como perdidos cada año[3].

Alrededor de un doce por ciento de los jóvenes estadounidenses huyen al menos una vez antes de los dieciocho años de edad. En cualquier noche dada, puede que haya más de un millón de adolescentes fugados en las calles. Los fugados provienen de un amplio rango de familias estadounidenses: blancos, afroamericanos, latinos, estadounidenses nativos y asiáticos. Son de casas con un solo padre o con ambos, de clases privilegiadas, de clases trabajadoras, de bajos ingresos y hasta de familias sin techo. No solo huyen de sus hogares actuales, sino también de hogares de acogida, albergues, hogares de grupo y de instalaciones residenciales de tratamiento[4]. Cuando los fugados descubren lo bueno que tenían, puede que no tengan la oportunidad de regresar.

¿Por qué huyen los adolescentes? ¿Se debe a que no se salen con la suya o hay problemas más profundos que necesitan abordarse? Para algunos, el problema parece ser pequeño. Huyen y se ocultan con amigos o familiares el tiempo suficiente para asustar a sus familias. Después de eso, regresan a su casa, y aunque la razón por la que huyeron quizá no esté resuelta por completo, no pasará al nivel de volver a huir.

En el otro extremo, algunos adolescentes huyen sin cesar o se ausentan durante largos períodos, algunas veces hasta para siempre. Tienen problemas más graves, pero nuestra sociedad los pasa por alto con frecuencia. Se pierden en el sistema o desaparecen en medio de la multitud en alguna ciudad, convirtiéndose solo en números.

Para algunos de esos jóvenes, la razón para huir la constituyen problemas de identidad de género. Los adolescentes llegan a creer que no son heterosexuales, y eso causa problemas en casa. En un intento de volver a unir a la familia, no aprenden a relacionarse mejor los unos con los otros, causando que fracase esa unión. Los padres siguen tratando al adolescente de la misma manera. El adolescente sigue respondiendo de la misma manera. Al final, los jóvenes se sienten abandonados y enojados, así que huyen de sus padres o tutores a algún lugar en el que creen que serán más bienvenidos.

Una vez que los adolescentes abandonan el hogar y se cortan las relaciones, deben vivir con sus propias decisiones. A veces terminan en programas de cuidado infantil del gobierno, donde flotan de lugar a lugar, como los demás niños en los programas. Otros se quedarán en las calles para cuidarse solos. Es triste que una estadística sugiera que más de un treinta y tres por ciento de todos los adolescentes fugados y desamparados en las ciudades de Seattle, Los Ángeles y Nueva York tengan estilos de vida homosexuales o bisexuales[5].

La calle se ha definido como una comunidad informal fuera de las organizaciones establecidas y comprometidas con el bienestar de la juventud, donde los jóvenes tienen poca o ninguna dirección de adultos maduros. Los adultos que hay en nuestras calles a menudo obvian a los adolescentes y los evitan o persiguen a los fugados en lugar de conducirlos hacia vidas productivas. Miles de fugados caminan por las calles con poco apoyo de los servicios sociales. Solo cuando se vuelven malos atraen el interés del sistema de justicia criminal, pero para ese momento puede que sea demasiado tarde. Un cuarenta por ciento de los fugados fueron antes niños en acogida. Después de la rehabilitación, uno de cada cuatro niños en acogida dicen que los golpearon, los hirieron de gravedad o los encarcelaron; una tercera parte no termina el instituto; la mitad es de desempleados[6].

Es posible que los fugados en las calles participen en robos, drogas, violencia y prostitución, y tengan poca esperanza de futuro. Esos jóvenes se encuentran a sí mismos rodeados de hambre, delitos, enfermedades, violencia y condiciones difíciles. Lo más probable es que terminen muertos en unos cuantos años o en hogares temporales, pero tendrán que volver a enfrentarse al mundo cuando llegue el momento. Al final, las vidas de los fugados con problemas de identidad de género pueden ser devastadoras. Si los problemas entre ellos y sus familias no se resuelven, se arriesgan a algo más que el rechazo. Arriesgan su existencia misma en esta tierra. Es muy fácil que las situaciones vayan de mal en peor debido a sus decisiones de huir.

Tal como dijo Noemí en Rut 1:8, 11: «Vuelva cada una a la casa de su madre [...] Vuelvan a su casa», así deberíamos alentar a los fugados a que hagan lo mismo.

39

Abuso sexual

L A VIOLENCIA SEXUAL es cualquier acto verbal o físico que rompa la confianza y la seguridad de una persona, y es sexual por naturaleza. A las víctimas de agresiones sexuales las obligan, fuerzan o manipulan a fin de que participen en actividades sexuales indeseadas. Según Barry Levy, cuando se les preguntó a los adolescentes: «¿Cómo han abusado de ti sexualmente?», respondieron que les llamaban con nombres sexuales, les hacían tener relaciones sexuales después que los golpeaban, les hacían caminar desnudos por la casa, o sus novios o novias siempre querían tener relaciones sexuales. Los obligaban a tener relaciones sexuales, los forzaban a realizar actos sexuales repugnantes, les mordían o pellizcaban los pechos a las muchachas, las violaban, abofeteaban o pellizcaban y las forzaban a tener relaciones sexuales sin protección[1].

El abuso sexual infantil se denuncia ochenta mil veces al año, sin incluir el número de situaciones no denunciadas porque los niños temen contarle a alguien lo sucedido. Las mujeres adolescentes están en un mayor riesgo de sufrir violencia sexual que cualquier otro grupo de edad debido al gran número de violaciones en citas amorosas o por conocidos que se producen a esa edad, además del abuso sexual y el incesto. En un estudio a 769 alumnos varones en los grados de séptimo a duodécimo en el Wisconsin rural, un 52%

dijo participar en conducta sexual agresiva. Un 24% participaba en el toque sexual indeseado de otros adolescentes; un 15% participaba en coerción sexual (como mentir) para iniciar la actividad sexual; y un 14% participaba en una conducta de tipo agresivo, utilizando la fuerza física, amenazas de fuerza física o alcohol para llegar a la actividad sexual[2].

Debido al abuso sexual pasado o continuado, los adolescentes con esas experiencias tienen más probabilidades que sus pares que no han sufrido abusos de participar en conductas juveniles de delincuencia, incluyendo las que dan como resultado problemas escolares, conflicto con la autoridad, conducta sexual temprana y problemas de alimentación. Esos comportamientos pueden ayudar a los adolescentes a escapar del peligro y servir como gritos de ayuda. Por lo general, los jóvenes víctimas de abuso sexual prolongado desarrollan baja autoestima, sentimientos de indignidad y puntos de vista anormales o distorsionados sobre la relación sexual. Puede que se alejen y desconfíen de los adultos y tengan pensamientos suicidas. Muchas veces, los jóvenes que han sufrido abuso sexual tendrán dificultades para relacionarse con otros, a excepción de que lo hagan en términos sexuales, y crecerán para abusar de igual manera de otros en lo sexual.

Los síntomas de quienes han sufrido abusos sexuales incluyen: frecuentes cambios de humor, aislamiento de familia y amigos, alejarse de las personas del sexo opuesto, llorar o enojarse y molestarse ante la mención de contacto sexual.

El mayor daño a las víctimas no es lo que se les hizo, sino más bien cómo reaccionaron a lo que les hicieron. Los supervivientes con frecuencia se paralizan a sí mismos de forma física y emocional. Van por la vida como zombis: muertos, apagados y sin emociones. Les temen a los ámbitos sociales y a permitir que personas se les acerquen de manera física y emocional. Cuando construyen muros a su alrededor para mantener a la gente a una distancia segura, más adelante descubren que esos muros los dejan atrapados en su interior. Algunos supervivientes recurren a las drogas, el alcohol, la mutilación (heridas, quemaduras o cortes), comer en exceso y vomitar, la promiscuidad, la pornografía, las mentiras, los robos y hasta el suicidio. Muchas veces, el peor daño se lo infligen ellos mismos. Esto no es para minimizar el daño que se hace mediante el abuso en sí;

la violación sexual por cualquier cantidad de tiempo es dañina. No importa si sucede una sola vez o si sucede reiteradas veces a lo largo de los años, la víctima sufrirá mucho debido al abuso.

Para muchas víctimas de abuso sexual, su viaje de sanidad nunca terminará. Continuarán luchando durante el resto de la vida a fin de ser las personas para las que las creó Dios. Les resulta difícil rescatar a las personas que solían ser antes del abuso. Sin embargo, en medio de sus luchas, Dios les da paz y gozo si le miran a Él. En su Palabra, Dios dice que les dará honor a pesar de su vergüenza: «En lugar de vuestra doble confusión y de vuestra deshonra, os alabarán en sus heredades; por lo cual en sus tierras poseerán doble honra, y tendrán perpetuo gozo» (Isaías 61:7, RV-60).

«A ordenar que a los afligidos de Sion se les dé gloria en lugar de ceniza, óleo de gozo en lugar de luto, manto de alegría en lugar del espíritu angustiado; y serán llamados árboles de justicia, plantío de Jehová, para gloria suya. Reedificarán las ruinas antiguas, y levantarán los asolamientos primeros, y restaurarán las ciudades arruinadas, los escombros de muchas generaciones» (Isaías 61:3-4, RV-60).

El abuso sexual está dañando el futuro de nuestros jóvenes. Disminuye sus sentimientos de dignidad y les hace acercarse al mundo que les rodea. Ellos necesitan saber que Dios los ama de manera incondicional, sin importar por lo que hayan pasado. Él los hará más fuertes por haber pasado por situaciones difíciles.

Acoso sexual

MELISSA DUVAL, de diecisiete años, estaba hablando con unas amigas en su instituto en Nueva Jersey cuando sintió que alguien la tocaba. «Ese chico que no conocía tocó mi trasero», dice Melissa. El alumno le había hecho comentarios inapropiados en el pasado, pero nunca la había tocado. Melissa reaccionó con enojo. Dice: «Le reñí. Le dije que no me conocía y que no me mostrara esa falta de respeto». Es lamentable, pero las palabras de Melissa tuvieron poco efecto. El alumno solo se rió y se fue caminando por el pasillo. Su reacción dejó a Melissa furiosa, pero no sabía qué hacer. Pensó que lo que le sucedió a ella ocurre todo el tiempo en su escuela. «No pensaba que los administradores de la escuela lo considerarían algo importante», dice Melissa[1].

El término *acoso sexual* se clasificó como discriminación y es una violación del Título VII sobre la Ley de Derechos Civiles de 1964[2]. En esencia, esta ley se estableció para proteger a las mujeres en sus lugares de trabajo, pero a lo largo de los años también se ha introducido en los sistemas escolares. El acoso sexual tal como lo definió la Comisión de Igualdad de Oportunidades Laborales de los Estados Unidos: «avances sexuales no bienvenidos, peticiones de favores sexuales y otra conducta verbal o física de naturaleza sexual constituyen acoso sexual cuando la sumisión a esa conducta o el rechazo a la misma afecte de modo explícito o implícito el empleo de un individuo, interfiera de manera irrazonable con el rendimiento laboral de un individuo o cree un ambiente de trabajo intimidatorio, hostil u ofensivo»[3].

Las personas no pueden reconocer el acoso sexual a menos que los acosadores sean obvios de manera manifiesta en cuanto a lo que hacen o las víctimas les cuenten a otros lo que está sucediendo y emprendan acciones legales. El acoso sexual puede incluir:

▶ Sugerencias sexuales

▶ Insultos concretos de género

▶ Humor, bromas o comentarios sugerentes y derogatorios que hagan hincapié en la relación sexual, los rasgos concretos de género o la orientación sexual

▶ Proposiciones o invitaciones sexuales

▶ Amenazas de naturaleza sexual

▶ Comentarios homofóbicos

▶ Comentarios inapropiados o no demandados acerca del cuerpo o la ropa de alguien

▶ Miradas sugerentes o lascivas

▶ Sonidos o gestos sugerentes y derogatorios que enfatizan la relación sexual o la orientación sexual

▶ Muestras inapropiadas o distribución de fotografías, objetos, escritos, grafitos sugerentes y derogatorios en lo sexual, incluyendo formatos electrónicos e impresos

▶ Distribución no autorizada de material sexualmente explícito que implique a individuos concretos

▶ Conducta persistente e indeseada tras el final de una relación consensuada

▶ Acecho

▶ Contacto físico innecesario o indeseado de naturaleza sexual, como caricias, toques, pellizcos o rozarse contra el cuerpo de una persona

▶ Contacto físico persistente indeseado después del final de una relación consensuada

▶ Agresión sexual

Dos tipos de acoso sexual se reconocen de manera legal. Se trata del acoso sexual quid pro quo y el acoso sexual hostil medioambiental. «El acoso sexual quid pro quo se produce cuando la sumisión de un individuo a tal conducta se constituye como término o condición de empleo». En esencia, si las víctimas no llevan a cabo los actos, corren el riesgo de perder sus empleos o no obtener ascensos o aumentos de salario. «El acoso sexual hostil medioambiental se produce cuando la conducta sexual interfiere de manera irracional en el rendimiento laboral de un individuo o crea un ambiente laboral hostil, intimidatorio u ofensivo aun cuando el acoso quizá no resulte en consecuencias tangibles o económicas, es decir, la persona puede que no pierda salario ni ascensos». Este tipo de acoso sexual casi siempre se encuentra en el mundo de la educación[4].

Las estadísticas sobre el acoso sexual en los institutos incluyen:

▶ A un ochenta y tres por ciento de las chicas las han acosado de manera sexual.

▶ A un sesenta y nueve por ciento de los chicos los han acosado de manera sexual.

▶ Más de uno de cada cuatro experimentaron acoso con frecuencia.

▶ Un trece por ciento de las chicas dijo que las «forzaron a hacer algo sexual en la escuela además de besos».

▶ Un nueve por ciento de los chicos dijo que los «forzaron a hacer algo sexual en la escuela además de besos».

▶ Las chicas tenían cinco veces más probabilidades de encontrar el incidente molesto y tres veces más probabilidades de sentir que el acoso afectó sus calificaciones.

▶ A un veinticinco por ciento de las chicas las acosaron empleados de la escuela.

▶ A un diez por ciento de los chicos los acosaron empleados de la escuela[5].

El acoso sexual es un delito y, si se comete, los abusadores podrían enfrentarse a graves consecuencias. En casi todos los casos de acoso sexual contra empresas, se otorgó a los demandantes millones de dólares.

Las víctimas de acoso sexual ven sus vidas brutalmente sacudidas. Pueden ser necesarios meses, años e incluso toda una vida para tratar los horrorosos efectos del pánico, la ansiedad y el constante temor a la sociedad. Por lo general, a las víctimas más jóvenes les resulta difícil decirles a las personas lo que les ha sucedido debido a que temen haber hecho algo mal o ser solo diferentes a todos los demás. Esto causa muchos problemas en la escuela y en la vida para los jóvenes, en especial para las muchachas. Hay un por ciento más elevado de alumnas que se han sentido menos confiadas, más tímidas y avergonzadas debido a su experiencia. Las muchachas pueden verse tan afectadas por el acoso sexual que hasta desciendan sus calificaciones. El abuso y el acoso sexual estremecen a sus víctimas en esferas sociales, mentales, físicas y espirituales.

Los alumnos con frecuencia se quedan con un sentimiento de dignidad tan bajo que sienten que sus amigos y su familia no los aman, y apartados de sus pares en lo social. Eso casi siempre trae como resultado un alejamiento en las relaciones, las actividades y, en algunos casos, hasta en el trabajo de la escuela.

El problema del acoso sexual en nuestros sistemas escolares no tiene una respuesta sencilla. Es de lamentar que vivamos en un mundo que bombardea a nuestros jóvenes con imágenes glorificadas de la sexualidad, y nuestros alumnos resulten afectados por esas imágenes. A los muchachos se les hace difícil controlar sus hormonas al recibir el estímulo visual de los medios de comunicación y los estándares morales más bajos en sus salas de clase. La abstinencia tiene una connotación negativa para la mayoría de los jóvenes estadounidenses. Con todo esto en mente, vemos que el acoso sexual se está convirtiendo en un problema cada vez mayor en nuestros sistemas escolares. Estos dos asuntos están relacionados de forma directa.

Los adultos preocupados deberían informarles a los adolescentes que no deben cruzar la línea del acoso sexual. Quienes son víctimas de acoso sexual deben saber que no tienen que soportar ese tipo de comportamiento. Los padres y los funcionarios escolares deben ser conscientes de lo que sucede. Así, los adolescentes que se sientan incómodos por algo que está sucediendo deben hablar al respecto y no mantenerse callados.

También debemos enfatizar que el acoso sexual no es aceptable y merece un grave castigo. Si permitimos que se cuele por las grietas, seguirá siendo un problema. La iglesia y la gran mayoría moral de los Estados Unidos deben adoptar una postura no solo contra el acoso sexual, sino contra toda inmoralidad sexual. Los problemas con este asunto no desaparecerán por completo, pero comenzarán a disminuir si los padres, los maestros y los jóvenes ponen voz a su desprecio. Pablo dice: «Vivamos decentemente, como a la luz del día, no en orgías y borracheras, ni en inmoralidad sexual y libertinaje, ni en disensiones y envidias» (Romanos 13:13).

Hurto en tiendas

EL HURTO EN TIENDAS ES un gran problema en los Estados Unidos en la actualidad, y afecta de forma negativa a todos. La mayoría de los ladrones creen que solo les roban a grandes negocios codiciosos que no necesitan el dinero, cuando en sí todos pagan por esto. «En los Estados Unidos, ¡los ladrones en tiendas roban unos veinticinco millones de dólares en mercancías cada día! Eso se divide en un extra de trescientos dólares cada año que usted y su familia tienen que pagar en precios más elevados para cubrir las pérdidas causadas por los hurtos»[1].

Objetos por un valor de más de diez mil millones de dólares se les roban a los comerciantes cada año. Alrededor de veintitrés millones de personas hurtan en tiendas en nuestro país hoy en día, y a diez millones los han atrapado en los últimos cinco años[2]. Conforme a la estadística, un veinticinco por ciento de los ladrones son adolescentes y un setenta y cinco por ciento son adultos[3]. Los costos ocultos de los hurtos en tiendas incluyen:

▶ Los precios más altos que tienen que pagar los consumidores

▶ La carga añadida en la policía y los juzgados

▶ La inconveniencia de las medidas de seguridad en las tiendas

▶ La preocupación añadida por el delito y la seguridad pública

▶ Los problemas familiares que resultan de los arrestos

▶ El efecto en la calidad de vida de una comunidad

▶ La corrupción de la juventud y de nuestro futuro[4]

Según David Cimbora, el robo puede afectar a todos los estudiantes, incluyendo los que no tienen necesidad económica de robar. Dice: «Familias bastante estables, con economías seguras y bien intencionadas pueden tener hijos que se sientan atraídos debido a la influencia de una mala ideología social»[5]. Los hurtos en tiendas no solo afectan a los desafiados en lo económico, sino también a una amplia gama de trasfondos económicos de los estudiantes.

El hurto en tiendas ya no es tan difícil y peligroso como solía ser. Hasta con sofisticados elementos disuasivos, como tarjetas electrónicas y vigilancia por vídeo, a los jóvenes les resulta bastante fácil salir de una tienda con un montón de ropa. Los negocios no pueden protegerse por completo contra quienes hurtan en tiendas porque los estudiantes pueden evitar de muchas maneras que les capturen.

Los jóvenes hurtan en tiendas por diferentes razones: depresión, ira, inseguridad, necesidad de atención o para liberar estrés. Aun más es el deseo de aceptación por sus pares; en realidad, un ochenta y seis por ciento dice que sus amigos están implicados en ello. Según Cimbora, «un elevado por ciento de niños con trastornos de conducta practican sus comportamientos delincuentes con sus pares. La presión para rebelarse a fin de que le acepte uno de sus pares puede ser increíblemente fuerte»[6].

Un pequeño por ciento de estudiantes tiene una necesidad genuina de lo que roban. Quizá en su hogar no se satisfagan sus necesidades básicas y, por lo tanto, recurran a los hurtos en tiendas como un medio de preservación personal. Tal vez roben ropa para encajar mejor en la escuela, donde la paga social por no parecer bueno puede ser severa. Esta no es una aparición común, ya que el gobierno se ocupa de la mayoría de los estudiantes que están en esa situación.

Los adolescentes también hurtan en tiendas por la emoción de hacerlo. Cada vez que roban, obtienen una ráfaga de adrenalina, haciendo que olviden sus otros problemas. Esta recompensa temporal puede ser suficiente para hacer que comiencen una larga lucha de adicción. Un treinta y tres por ciento de los adolescentes dice que es difícil dejar de hurtar en tiendas aun después que los capturan. Steve Dowshen y Leslie Gravin dicen: «Para muchas personas el hurto en tiendas es una adicción, y puede ser tan difícil de detener como las drogas o el alcohol. Este es un peligro real para estudiantes que tienen un amplio tiempo y oportunidad para robar con regularidad»[7]. Hasta que los jóvenes no vean los problemas más profundos que motivan su adicción, nunca serán capaces de dar los pasos necesarios para dejar lo que están haciendo.

Sin embargo, los jóvenes tienen que enfrentarse a consecuencias sociales si continúan hurtando en tiendas. Debido a que es un delito criminal, podrían pasar tiempo en la cárcel. Además, puede que nunca se sientan seguros y siempre buscarán atención y aceptación de sus pares. Aun si nunca los agarran, tienen que enfrentarse a la culpa y la vergüenza de lo que han hecho. Lo que es peor, quienes buscan esa emoción en el hurto pueden expandir la actividad a otros delitos.

Los adolescentes que hurtan afectan a todas las personas que les rodean, lo quieran o no. Si van a la cárcel, sus familias tienen que tratar con el arresto de sus hijos. Y, a la larga, quizá tales jóvenes no consigan encontrar buenos empleos más adelante, lo cual les empuja a un patrón imperdonable de pobreza.

¿Qué pasos pueden dar los jóvenes para dejar lo que hacen? En primer lugar, necesitan aceptar la responsabilidad por sus actos y tomar mejores decisiones personales. Necesitan que les muestren que tienen la capacidad de hacer buenas elecciones. Aun si la adicción es demasiado difícil de abandonar por su cuenta, pueden obtener ayuda. Muchos programas ayudan a quienes tratan con adicciones como el hurto en tiendas[8].

Sobre todo, los jóvenes necesitan tener una buena relación con sus padres. David Kayes dice que «la mejor prevención de los padres es mantener abiertas las líneas de comunicación y estar implicados en la vida del adolescente». Chuck Sennewald añade: «Los padres deben modelar de continuo estándares de comportamiento a la vez que dialogan de los conceptos de lo bueno y lo malo con sus hijos»[9].

La culpabilidad es un recurso sano y eficaz cuando se ayuda a los estudiantes a que dejen de robar. La mayoría de los adolescentes tiene un sentimiento de obligación moral, y cuando los padres aplican presión a la culpabilidad psicológica de haber roto una ley moral, puede afectar a los estudiantes de manera positiva. «Un poco de humillación llega muy lejos», dice Britney, a quien sorprendieron cuando salía de una tienda con artículos robados en compañía de su confiada madre. «Me hizo sentir mal haber defraudado a mi madre porque ella estaba conmigo. Sentí que la había avergonzado y me sentí muy mal. Nunca quiero volver a sentirme de esa manera»[10].

Otro estupendo agente, cuando se trata de ayudar a los jóvenes a sobreponerse a la urgencia de robar, es la disciplina y el castigo. Un consejero recomienda: «La disciplina tiene que ser coherente y seguida hasta su término. Cuando comienza a disciplinar y no sigue con ello, les enseña a sus hijos que las reglas y los estándares no tienen consecuencias fijas».

Cualquiera que sea el castigo que los padres establezcan para sus hijos adolescentes, debería ser justo y coherente. Nada los alejará más de los padres que el abuso de su poder sobre sus hijos. Las consecuencias de sus robos deberían dejar a los jóvenes con el entendimiento de que sus padres se interesan por ellos y solo tratan de ayudarlos a que dejen de robar, no a exigir juicio[11].

La Biblia da fuertes respuestas a la adicción de hurtar en tiendas. «Ustedes no han sufrido ninguna tentación que no sea común al género humano. Pero Dios es fiel, y no permitirá que ustedes sean tentados más allá de lo que puedan aguantar. Más bien, cuando llegue la tentación, él les dará también una salida a fin de que puedan resistir» (1 Corintios 10:13).

Si los jóvenes buscan a Dios, Él proporcionará un camino de salida de la tentación. «Porque no tenemos un sumo sacerdote incapaz de compadecerse de nuestras debilidades, sino uno que ha sido tentado en todo de la misma manera que nosotros, aunque sin pecado» (Hebreos 4:15).

Con tiempo y la disciplina adecuada, los ladrones compulsivos pueden dejar este comportamiento. El verdadero problema es espiritual. Si aprenden a temerle a Dios y a obedecer sus mandamientos por amor, ya no desearán robar. Si también aprenden las razones bíblicas por las que robar está mal, la Palabra de Dios cambiará sus vidas.

CAPÍTULO

42

Rivalidad entre hermanos

LAS PERSONAS A MENUDO piensan en la rivalidad entre hermanos como peleas físicas entre hermanos, ponerse motes o abuso verbal. Sin embargo, otros piensan en Caín y Abel o en el creciente resentimiento entre hermanos. Todas esas ideas son ciertas, pero hay más en la rivalidad entre hermanos que esos pocos aspectos. La rivalidad entre hermanos surge de «la competición por recursos limitados o escasos [...] tiempo, atención, amor y aprobación que los padres pueden dar a cada uno de sus hijos»[1].

La rivalidad entre hermanos puede mostrarse en numerosas formas, incluyendo peleas físicas, abuso emocional, antagonismo, celos, competición y hostilidad. Caín y Abel son perfectos ejemplos de lo que sucede en una familia cuando no se hace nada, cuando «los padres no tienen que hacer nada excepto relajarse y observar el desenlace de este fenómeno "natural" de amor entre hermanos»[2]. En Génesis 4, Caín y Abel representan un ejemplo de hostilidad, celos y competición entre hermanos. Cuando ambos llevaron sacrificios al Señor, Caín llevó el fruto de la tierra que trabajaba, y Abel llevó «lo mejor de su rebaño, es decir, los primogénitos con su grasa» (v. 4). El Señor se agradó de la ofrenda de Abel, pero no de la de Caín.

Caín se puso celoso de Abel, y por eso llevó a su hermano al campo y
lo mató. Caín no mostró amor de hermano hacia Abel, sino que cedió
a sus sentimientos de resentimiento y esos sentimientos terminaron en
muerte.

A la hora de tratar la rivalidad entre hermanos, los padres necesitan
conocer las diferentes señales de advertencia que indagar en sus hijos.
En primer lugar, algunas señales físicas que los niños pueden mostrar
incluyen: morderse a sí mismos, agresividad, trastornos del sueño,
trastornos del habla, mostrar obsesiones, fobias y arrebatos de histeria
y ser destructivos hacia otros. Algunas señales de comportamiento
son: una autoestima negativa, ser tímidos, pasivos o sumisos, carencia
de desarrollo físico, mental y emocional, mostrar una conducta
autodestructiva o agresiva, mostrar crueldad hacia otros y ser demasiado
exigentes[3]. Cualquier cambio en el comportamiento de los niños no
debería pasarse por alto. Los cambios de comportamiento no significan
automáticamente rivalidad entre hermanos, pero son indicadores de
que algo, quizá la rivalidad entre hermanos, esté sucediendo en sus
vidas.

La rivalidad entre hermanos puede también influir en los jóvenes
en cuanto a lo social. Si son abusivos con sus hermanos, lo más probable
es que lo sean en otras esferas a lo largo de su vida. Los jóvenes que
arremeten contra sus hermanos en casa serán, con mayor probabilidad,
los «matones de la clase» en la escuela. Por otro lado, quienes reciben
abuso por parte de sus hermanos tendrán malas capacidades sociales,
baja autoestima o mal concepto de sí mismo. La rivalidad entre
hermanos en el hogar presenta otro problema. La escuela debería ser
un lugar seguro para los niños-adolescentes. Si no se sienten seguros en
su casa, no estarán mucho tiempo allí y encontrarán lugares en los que
se sientan seguros, queridos y aceptados, casi siempre con sus amigos
y con poca o ninguna supervisión de adultos. Por lo general, esas
influencias externas conducen al alcohol y las drogas, dependiendo de
los valores fundamentales que se infunden en los niños-adolescentes.

A la hora de tratar con la rivalidad entre hermanos, hay dos tipos
de soluciones: social y bíblica. En primer lugar, los padres necesitan
apartar tiempo para estar con cada uno de sus hijos a fin de mostrarles
lo importantes que son. Si los niños se sienten queridos por sus padres
de igual manera, tendrán menos probabilidades de arremeter unos

contra otros. Otra cosa que los padres pueden hacer es asegurarse de no tener un hijo favorito sobre los demás. Los padres deben enseñarles a sus hijos el amor de hermanos y a querer a los demás como se quieren a sí mismos. Los seres humanos tienen una naturaleza innata de competición y celos. Con el propósito de sobreponerse a eso, los padres deben enseñar, al igual que demostrar, amor de hermanos. Los niños y los adolescentes necesitan ver y también oír cómo mostrar amor de hermano hacia cada uno, en especial hacia sus propios hermanos.

La única manera en que los niños y los adolescentes aprenderán el verdadero significado del amor de hermanos es a través de conocer el amor de Cristo, quien les demostró verdadero amor de hermano a todos. Hasta que conozcan a Cristo de manera íntima, no se sobrepondrán a la rivalidad entre hermanos y buscarán su lugar seguro, el cual idealmente debería ser su hogar. «¡Cuán bueno y cuán agradable es que los hermanos convivan en armonía!» (Salmo 133:1).

CAPÍTULO

43

Fumar y consumir tabaco

EAN MARSEE era un atleta popular y dotado en su instituto. Su deporte era el atletismo, y las veintiocho medallas que había ganado demostraban que era bueno. Era un héroe local, al salvar a su hermana pequeña cuando ella se hundió en el hielo un invierno. En el instituto, Sean comenzó a mascar tabaco. Trató de dejarlo en varias ocasiones, pero no pudo. Su madre lo alentó a que lo dejara, pero le permitió que tomara su propia decisión al respecto. A medida que pasaban los meses, Sean le decía a su madre que le dolía la lengua. Fue al médico y le hicieron varias pruebas. Unos cuantos días después, la mamá de Sean contestó el teléfono y, cuando colgó, comenzó a llorar. Sean tenía cáncer en la lengua. Sean quedó conmocionado al saber que tendrían que quitarle la mayor parte de su lengua y que nunca volvería a hablar. Tenía solo dieciocho años. El día de su operación, Sean corrió su última carrera. La operación no quitó todo el cáncer, el cual se extendió a su mandíbula y músculos del cuello, haciendo que necesitara otras dos operaciones que quitaron gran parte de su mandíbula y parte de su nariz y de los músculos del cuello. Sean murió a los diecinueve años de edad[1].

El consumo de tabaco entre los adolescentes es un comportamiento que hace lo mejor para mantenerse fuera del ojo público. Es cierto que las empresas tabacaleras tienen páginas Web e información que les advierten a los jóvenes acerca de los riesgos del consumo del tabaco, pero la inmensa mayoría de los fumadores adultos empezaron durante su adolescencia. Desde fumar a mascar, los jóvenes están enganchados al consumo del tabaco, ya sea por placer, por la imagen que representa o solo por querer pertenecer a un grupo de amigos, aun si eso signifique obviar su sentido común y todo lo que han oído en las clases de salud[2].

El Centro para el Control y la Prevención de Enfermedades (CDC [por sus siglas en inglés]) explica en detalle lo que hay en los cigarrillos: formaldehído (el mismo producto químico utilizado para conservar animales y personas muertas); cianuro (el mismo producto químico que se encuentra en los venenos para ratas); e insecticidas (los mismos productos químicos utilizados en los aerosoles para insectos). Los cigarrillos causan enfisema, cáncer de pulmón y enfermedades cardíacas. Cuatro de cada diez fumadores mueren más adelante debido a su adicción al tabaco, con casi todos ellos enganchados en su adolescencia. ¿Cuánto tiempo se necesita para engancharse? Un estudio de Y2K mostró que una cuarta parte de quienes tienen doce y trece años de edad y fuman tan poco como dos o tres cigarrillos al día se vuelven adictos en solo dos semanas. Una vez enganchado, el fumador promedio es incapaz de dejarlo durante diecisiete años. Y cada uno de esos años esa persona gastará más de mil doscientos dólares en productos relacionados con el tabaco (con dinero que podría comprar un auto, un lugar bonito donde vivir o enseñaza). Los anuncios de parches y chicles dan un sentimiento de falsa esperanza. Ochenta y cinco de cada cien fumadores que utilizan el parche, chicle u otros programas comienzan a fumar de nuevo al año. Nunca querríamos minimizar cualquier intento de dejar el consumo de tabaco, pero las posibilidades de que los consumidores de tabaco lo dejen no están, sin ninguna duda, a su favor[3].

Cada día en los Estados Unidos, más de tres mil jóvenes se vuelven fumadores regulares. Los jóvenes que fuman tienen tres veces más probabilidades que los no fumadores de consumir alcohol, ocho veces más probabilidades de consumir mariguana y veintidós veces más probabilidades de consumir cocaína. Fumar también está relacionado con otros comportamientos perturbadores, como las peleas o tener relación sexual prematrimonial y sin protección. Aun más sombrío es que cinco millones de jóvenes menores de dieciocho años de edad morirán prematuramente de una enfermedad relacionada con el tabaco[4].

Entonces, ¿de quién es la culpa? Uno no puede descartar el hecho de que los jóvenes toman decisiones con respecto al consumo de tabaco. Sin embargo, la industria tabacalera está haciendo un trabajo increíble a la hora de hacer publicidad. Las reglas han cambiado para la industria tabacalera en cuanto a la publicidad. Ya no vemos anuncios en televisión ni en las películas (aunque las películas han dado manga ancha cuando se trata de hacer que los protagonistas enciendan un cigarrillo). Los anuncios en revistas están limitados de alguna manera. Por lo tanto, ¿dónde se gastan las empresas tabacaleras trece millones de dólares al día para anunciar y promover los cigarrillos con presupuestos anuales de más de once mil millones de dólares... así es... mil millones en anuncios? Además del patrocinio ocasional de la NASCAR y los extraños patrocinios de eventos deportivos, una estrategia publicitaria ha sido los anuncios en las tiendas de barrio y en los supermercados (las tiendas obtienen hasta cien dólares al mes por cada anuncio de tabaco que muestran en la tienda). Este tipo de publicidad hace parecer a los niños que los productos del tabaco son normales, como los caramelos o el chicle. Los anuncios de mascar tabaco (datos de recientes encuestas basadas en escuelas indican que cerca de uno de cada cinco estudiantes varones en los grados noveno al duodécimo consumen tabaco sin humo) están dando a los jóvenes la falsa impresión de que muchas personas deben de estar comprando tabaco de mascar, ya que están situados de manera conveniente en los mostradores de caja. Esos anuncios fomentan una falsa impresión de que el consumo de tabaco es aceptable desde el punto de vista social. Y aunque es ilegal venderles tabaco a los menores de dieciocho años, en 1991 la industria tabacalera generó unos ciento noventa millones de dólares de ganancia por la venta ilegal de cigarrillos a menores[5].

Entonces, ¿qué deberían buscar los adultos y padres preocupados? En primer lugar, si huelen a humo, no deberían creerse que otra persona estaba fumando. Si descubren productos de tabaco en sus hijos adolescentes, deberían preguntarles al respecto. Los jóvenes necesitan conocer cuáles son los perímetros de los padres. ¿Cómo es su salud? ¿Les cuesta respirar? ¿Y las flemas? Los fumadores producen dos veces más flema que los no fumadores. ¿Son fumadores sus amigos? Si es así, los padres deberían preguntarles si se sienten tentados a unirse a sus amigos y fumar[6].

¿Qué hace falta hacer para impedir el consumo de tabaco entre adolescentes? He aquí algunas sugerencias: Exponer a los adolescentes a los riesgos y las consecuencias de fumar. Para algunos jóvenes que participan en el consumo de tabaco, puede que solo estén aburridos. Haga que participen en actividades que requieran tener un cuerpo sano para participar. Que vean los beneficios y la sensación de bienestar al tener pulmones sanos. Es posible que otros jóvenes tengan que tomar las difíciles decisiones de cambiar de amigos que consumen tabaco. A menos que sean la influencia buena, deberían reconsiderar tener amigos que influyan en ellos para peor. Un padre, que descubrió que su hijo adolescente mascaba tabaco, hizo que el muchacho se tragara un taco. Además del inevitable dolor de estómago, la estrategia resultó y el adolescente nunca más volvió a tocar productos de tabaco. Aunque sea algo extremo, necesitamos hacer cualquier cosa para evitar que los adolescentes consuman productos de tabaco. Muy bien podríamos estar salvando sus vidas.

La tentación es fuerte, pero 1 Corintios 10:13 dice: «Ustedes no han sufrido ninguna tentación que no sea común al género humano. Pero Dios es fiel, y no permitirá que ustedes sean tentados más allá de lo que puedan aguantar. Más bien, cuando llegue la tentación, él les dará también una salida a fin de que puedan resistir».

Esteroides

EL CONSUMO DE esteroides anabólicos solía ser algo común para los atletas adultos, pero se está generalizando en estudiantes de secundaria y del instituto. Hay solo unas cuantas razones por las que alguien tomaría esteroides anabólicos, pero muchas consecuencias como resultado de la ingesta.

Los esteroides anabólicos son compuestos hechos de la hormona sexual masculina testosterona, y vienen en forma de inyecciones, pastillas, parches y cremas. La palabra *anabólico* puede definirse como «constructor de tejido corporal». En los años treinta los esteroides anabólicos se crearon para ayudar a los hombres que no producían bastante testosterona para un crecimiento suficiente. Tras el desarrollo, los científicos pronto descubrieron que cuando se inyectaban los esteroides a animales de laboratorio, aumentaban los músculos de su esqueleto. Esto pronto condujo al uso de esteroides por culturistas, levantadores de pesas y algunos atletas a fin de cambiar el resultado de sus competiciones[1]. Los esteroides no solo construyen músculo, sino que también ayudan a los atletas a recuperarse con rapidez de lesiones y entrenamientos agotadores.

Según cnn.com, un 3,5% de los alumnos del último año del instituto dijo que había consumido esteroides al menos una vez, hasta un 2,1% en 1991. Esto no incluye los suplementos que se venden sin receta, como el andro y la creatina[2]. El Centro para el Control y la

Prevención de Enfermedades (CDC [por sus siglas en inglés]) informa que el consumo de esteroides parece ser mucho más elevado en el sur, con un 11,2% de los varones del instituto de Luisiana que consumen esteroides, mientras que un 5,7% de las muchachas de Tennessee indicaron que los habían consumido.

Las personas toman esteroides anabólicos por un número limitado de razones. Algunos lo hacen porque tienen una baja autoestima con respecto a sus cuerpos y quieren crecer en fortaleza y tamaño muscular. Otros los toman porque han sufrido abuso físico o sexual en el pasado, y quieren asustar a otros atacantes[3]. La razón más popular para tomar esteroides es que los atletas quieren ganar sus competiciones deportivas. Aunque todas parecen buenas razones, la mayoría de las personas no comprende las terribles consecuencias de consumirlos.

Cuando toman esteroides, las personas corren el riesgo de muchas complicaciones de salud en el futuro, como alta tensión arterial, hemorragia interna, enfermedades cardíacas, daño al riñón, cáncer, ataques de corazón o derrames cerebrales. Algunas personas pueden experimentar dolores de cabeza, dolor de articulaciones y calambres musculares. Después de tomar esteroides durante un tiempo, puede producirse un grave acné en el rostro y en áreas de la espalda. Tomar esteroides también puede causar calvicie, un desagradable mal aliento, sudoración de pies y tobillos, insomnio, náuseas y vómitos[4].

Además de los efectos físicos, también pueden producirse efectos secundarios emocionales. El más común es la ira que da como resultado una conducta destructiva. Por ejemplo, una persona que tome esteroides puede cometer robo porque los esteroides han causado que sea agresiva[5]. Otros resultados son cambios de humor, paranoia, alucinaciones, ansiedad y ataques de pánico. Después que las personas hayan tomado esteroides durante un tiempo, los resultados pueden ser peligrosos. Puede hacer que se depriman, que piensen en suicidio y, tal vez, los conduzca al suicidio. Tomar esteroides puede destruir por completo a las personas mentalmente.

Para los hombres puede que sea difícil reconocer los posibles efectos secundarios de los esteroides, pero sigue habiendo repercusiones por tomar la droga. La razón principal por la que los hombres toman esteroides es para tener un mayor atractivo físico. Tomar esteroides excita de manera sexual a los hombres, pero al final daña sus órganos sexuales. Sus testículos se comienzan a encoger, y se vuelven impotentes e incapaces de tener relaciones sexuales. Los esteroides disminuyen la posibilidad de que los hombres tengan hijos en el futuro porque reducen su cantidad de esperma y los vuelve estériles. Los esteroides anabólicos también causan ginecomastia, cuando aumentan los pechos y pezones de los hombres. Debido a que es una hormona masculina, los esteroides tienen el efecto contrario en las mujeres.

Para las mujeres puede ser físicamente posible reconocer el consumo de esteroides anabólicos. Dos maneras obvias de saberlo son si la voz de una mujer se ha agravado o si ha aumentado su vello facial. En lugar de aumentar el tamaño de sus pechos, los esteroides en realidad los disminuyen y alargan el clítoris. Los esteroides anabólicos también causarán problemas menstruales en las mujeres.

Mientras que los esteroides anabólicos causan muchos efectos físicos y emocionales, también son ilegales. Más de cien tipos diferentes de esteroides anabólicos pueden comprarse solo con receta. Cualquier persona a la que se le sorprenda vendiéndolos o utilizándolos puede ser multada, metida en la cárcel o hasta perder su empleo. Debido a que sobre todo los atletas abusan de los esteroides, corren el riesgo de pagar multas, que les metan en la cárcel, pierdan sus empleos o hasta que le pongan término a su futuro en los deportes.

Vivimos en una sociedad en que el costo de las cosas no importa siempre que obtengamos lo que queremos ahora. Al final, eso podría arruinar nuestro bienestar mental y físico. Para evitar el consumo de esteroides, necesitamos descansar lo suficiente, comer alimentos sanos y hacer ejercicio cada día. Es trabajo duro, pero nada en la vida es fácil, y las únicas cosas agradables son esas por las que trabajamos duro. Otras maneras de evitar el consumo de esteroides y hacer músculo es buscar ayuda profesional de un entrenador o de un médico especialista. Los esteroides arruinan el cuerpo de la persona, se mire por donde se mire. Según la Biblia, nuestros cuerpos son el templo de Dios, y no se deberían arruinar. «¿Acaso no saben que su cuerpo es templo del Espíritu Santo, quien está en ustedes y al que han recibido de parte de Dios?» (1 Corintios 6:19). Nos crearon para honrar a Dios con nuestros cuerpos.

La única ocasión en que tomar esteroides es adecuado es cuando los médicos los receten para usos clínicos. Cualquier otra ocasión es errónea por completo y nunca deberían tomarse. Los esteroides pueden causar placer temporal, pero solo producirán dolor en el futuro.

Carreras callejeras

SON LAS DOCE Y CUARTO DE LA MADRUGADA en un remoto tramo industrial en Sylmar, California. El lugar está lleno de veinte o más autos modificados que pueden salir volando y escucharse bien. Los jóvenes son una mezcla de negros, blancos e hispanos con un lenguaje común de autos. Todos se han detenido enseguida en los cuatro carriles. Un Toyota y un Honda están ante una línea de salida invisible. Un joven gordo con una gorra está en medio de ellos, levanta sus brazos y luego los baja. Los motores rugen. Los neumáticos se queman. Las velocidades se acercan a los ciento sesenta kilómetros por hora, y después de cuatrocientos metros las luces de freno son visibles junto con un ganador. «Hemos probado con helicópteros, con autos camuflados, con oficiales de paisano, con todo», dice Ron Bergmann del departamento de la policía de Los Ángeles. «En una ocasión escribimos cien citaciones y llamamos a los padres hasta una distancia de más de ciento sesenta kilómetros para que acudieran a recoger a sus hijos. Sin embargo, nada de eso ha surtido efecto». Un padre dice: «Me preocupo por el peligro, pero al menos sé dónde está nuestro hijo y que no está bebiendo ni drogándose»[1].

Uno de los comportamientos más sutiles, pero inquietantes donde los adolescentes participan en la actualidad es la conducción temeraria, o como lo llaman los jóvenes, las carreras en la calle. Hay niveles muy distintos implicados en esta escena de la calle. Algunos podrían ser algo tan casuales como dos amigos que compiten en un semáforo de la escuela a casa. Otros jóvenes van a clubes que en secreto organizan carreras por dinero o por drogas. Un gran número de jóvenes cae en algún lugar entre esos dos extremos. Una cosa es segura: este comportamiento está poniendo fin a vidas mucho antes de tiempo y causando más angustia de la necesaria. Los jóvenes lo ven como una subida de adrenalina y una manera rápida de conseguir popularidad o aceptación. Los padres y las personas que se interesan por los jóvenes lo ven como una amenaza real para sus vidas y sus futuros.

Los adolescentes hacen carreras por diferentes razones. La mayoría dice que es por la emoción y por la subida de adrenalina. Algunos dicen que es lo que está de moda. Otra fuente dice que se debe a que los adolescentes no pueden beber, tomar drogas, ir a bares, ni participar en otras actividades ilegales. Los adolescentes no tienen muchos lugares en los cuales estar. Los grupos de jóvenes no siempre están dispuestos a recibir personas nuevas. Los salones de juego ya no son interesantes. A los adolescentes a menudo los expulsan de los centros comerciales. Por lo tanto, buscan otra actividad para divertirse, como las carreras.

La fórmula más común para una noche de carreras en la calle es como sigue: Los conductores dan vueltas con los autos y presumen de ellos hasta que llegan a un punto donde se reúnen muchos autos y los conductores se desafían. Uno de esos puntos es casi siempre una gasolinera, un restaurante nocturno o un aparcamiento vacío. Una vez que los conductores hacen sus desafíos, revisan la zona por si hay policía, establecen un «ilegal» (su pista) y luego van allí en convoy. Una vez realizada la vigilancia adecuada, comienzan las carreras.

Aunque la mayoría de los adolescentes no ven nada de malo en las carreras callejeras, son ilegales en los Estados Unidos, Canadá y en casi todas partes de Europa. Sin embargo, se llevan a cabo en todos estos lugares. Las carreras callejeras se han estado realizando cerca de más de cincuenta años. La aplicación de la ley ha tratado con este problema durante años, y nunca ha encontrado una manera exitosa para detener su progreso. En la pasada década, las carreras callejeras se han hecho más populares con adolescentes que acaban de obtener sus licencias. Muchos afirman que esto se debe al estreno de la película de finales de los noventa, *A todo gas* y su continuación,

A todo gas 2. Con el estreno de la primera película aumentaron las carreras callejeras[2]. Más accidentes que resultaron en más muertes al año los causaron las carreras en las calles. Los accidentes en estas carreras se llevan de siete a diez muertes al año en casi todas las ciudades principales de los Estados Unidos.

Las carreras callejeras pueden encontrarse en todos lados, desde pequeñas ciudades hasta grandes ciudades, desde barrios ricos hasta barrios pobres. Unos cuantos Estados tienen un mayor problema con las carreras de autos ilegales, como California, con sus equipos y pandillas de carreras en las calles. Tejas y Florida también tienen grandes círculos de carreras callejeras. El castigo por hacer carreras en la calle en la mayoría de los Estados es una multa de hasta mil dólares, un año en la cárcel y la retirada de los autos por veintiocho días. El castigo varía según el Estado; sin embargo, parece ser coherente con esas cifras. En Arizona, si a los jóvenes se les declara culpables más de una vez dentro de un período de veinticuatro horas, deben pasar un tiempo obligatorio en la cárcel[3]. No obstante, esos castigos no siempre disuaden a los jóvenes de participar en las carreras callejeras. La sociedad hoy en día se trata de satisfacción y emociones, y este deporte afirma proporcionar ambas cosas.

¿Cómo pueden reconocer los padres si sus hijos adolescentes participan en la peligrosa cultura de las carreras de autos en la calle? Algunas señales de advertencia incluyen excesiva cantidad de dinero gastado en autos, no estar nunca en casa, trabajar siempre para comprar partes del auto, actitudes negativas, coleccionar revistas de autos, varias multas por exceso de velocidad y llegar a casa tarde con frecuencia. Los padres también deberían conocer a las personas y al tipo de personas con las que se relacionan sus hijos. Algunos entusiastas de los autos son influencias positivas y útiles a la hora de desarrollar destrezas y talentos en los adolescentes, mientras que otros entusiastas utilizan a los jóvenes y se aprovechan de ellos. Las carreras de autos callejeras no solo son en sí mismas ilegales, sino que también las acompañan a menudo otras conductas ilegales, como las drogas y el alcohol.

Un remedio para esto es proporcionarles a los jóvenes mejores lugares para las carreras. Algunas pistas de carreras les permiten a los jóvenes registrar sus autos y correr en un medio legal y controlado. Aun así, quizá las sigan acompañando otras conductas ilegales, pero eso siempre estará presente. La respuesta bíblica es que debemos obedecer la ley. Dios ha puesto a nuestros líderes en autoridad sobre nosotros y, por lo tanto, deberíamos respetarlos como personas nombradas por Él. Algunas organizaciones se están moviendo contra la moda de las carreras de autos en las calles. Por ejemplo, *Racers Against Street Racing* (RASR) es una agencia de corredores profesionales que defienden que las escuelas públicas incluyan educación informativa en las clases de educación para conductores. Su tema principal es: «Si quieres echar carreras, hazlo en un circuito de carreras»[4]. Es la manera más segura y fácil de resolver el problema de las carreras de autos en las calles.

> «Recuérdales a todos que deben mostrarse obedientes y sumisos ante los gobernantes y las autoridades». (Tito 3:1)

> «Todos deben someterse a las autoridades públicas, pues no hay autoridad que Dios no haya dispuesto, así que las que existen fueron establecidas por él». (Romanos 13:1)

Prostitución juvenil en los suburbios

EL FBI Y las autoridades policiales de Miniápolis arrestaron a quince miembros y asociados de la familia Evans por dirigir un círculo de prostitución multimillonario. La familia dirigía este círculo de prostitución desde hacía más de diecisiete años al menos en veinticuatro Estados y Canadá. Reclutaban a jóvenes muchachas, algunas tan jóvenes como catorce años de edad, para prostituirse en salones de masajes y servicios de compañía. Después de pasar de tres a diez trabajos al día, la familia obligaba a las muchachas a renunciar a todas sus ganancias o las golpeaban, violaban o asesinaban. Por ejemplo, un integrante del círculo Evans golpeó con tanta dureza a una chica de quince años embarazada, que al final perdió el bebé. Clem Evans violó a una chica de catorce años que se había escapado de casa, y golpeó a otra mujer con un cable de televisión. El informe del comité Hofstede, de ese nombre por el anterior alcalde de Miniápolis y presidente del comité, Al Hofstede, cita datos de activistas contra la prostitución de que cerca de mil jóvenes participan de manera activa en la prostitución en Minnesota. La edad media de entrada en la prostitución para esos jóvenes es de catorce años, estima PRIDE, una organización sin ánimos de lucro de Minnesota. «Este no es un problema de la ciudad ni un problema urbano, es también un problema de los suburbios», dijo Hofstede durante una conferencia de prensa en la oficina del fiscal general[1].

Ángela hizo su primer trabajo a los trece años de edad. A los dieciséis, la ex escolar de St. Paul era la «chica de oro» de su proxeneta, según lo expresara, ganando hasta mil dólares al día por tener relaciones sexuales por dinero y bailar en bares de *topless* y clubes de *striptease* desde Baltimore hasta Florida. A los dieciocho años, había contraído enfermedades venéreas, había pasado por dos abortos, y cuando no cumplía con lo que se le pedía, la golpeaban y castigaba sexualmente de todas las maneras imaginables. A los diecinueve años trató de establecer una nueva vida y reclamar una niñez perdida. A los veinticuatro, aún está tratando de reclamar una niñez perdida[2].

La mayoría de los jóvenes entra en la prostitución alrededor de los catorce años de edad o incluso desde los doce. La categoría más vulnerable de niños y niñas susceptibles de llegar a participar en la prostitución son los jóvenes que huyen de casa o los desamparados. Las personas dispuestas a pagar a cambio de sexo se acercan a los niños de las treinta y seis a las cuarenta y ocho horas desde que los jóvenes están en las calles. Un estudio en Minnesota calculaba que unos setecientos treinta jóvenes desamparados están en el Estado en cualquier noche dada, mientras que otras agencias sociales sitúan la cifra en los dos mil a tres mil[3].

Desde los primeros momentos en que son conscientes de los medios de comunicación, a los adolescentes de hoy en día los bombardean con mensajes sexuales. Han crecido con sexo como recursos de venta, intercambio y un deporte recreativo. La desviación y la mala conducta sexual se muestran en público y hasta se fomentan. Y, en años recientes, las chicas adolescentes observadoras se han visto con poderes sexuales y comercializadas por los medios de comunicación y la cultura hasta un grado mayor que antes[4]. Sin embargo, el problema de la prostitución juvenil en los suburbios no implica solo a los medios y a nuestra propia morbosa cultura popular. Tiene que ver con padres ausentes que dejan un vacío, físico y moral, y permiten que los medios de comunicación, que se basan en el consumo, lo llenen. También tiene que ver con padres que sustituyen el tiempo por cosas. Entonces, ¿acaso esas muchachas que se prostituyen en los suburbios no tienen papás en casa? Sí, pero los padres ausentes pueden estar en casa. Es lamentable que haya demasiadas muchachas con padres presentes de manera física, pero ausentes en lo emocional. La ausencia emocional de un padre crea un vacío en la vida de su hija y en su corazón. A las hijas que tienen papás conectados con ellas de manera emocional les resulta mucho más fácil separar los guardianes de los perdedores[5].

Considerando los efectos sociales de la educación poco estricta y de nuestros medios de comunicación cada vez en mayor bancarrota moral y la cultura basada en el consumo, quizá el elemento de sorpresa no exista en la existencia de prostitución juvenil suburbana. La sorpresa yace en el hecho de que no haya más. Es imposible entender lo que motiva a los jóvenes sin considerar la enorme presión social que soportan cada día. Dada nuestra cultura actual, relativamente pocas muchachas estudiantes están dispuestas a arriesgarse al estigma de que les conozcan como prostitutas. No obstante, siempre habrá muchachas adolescentes rebeldes y a quienes les gusta experimentar de manera peligrosa cuya conducta es anómala[6].

Algunas señales obvias que buscar con respecto a esta inquietante conducta es un tiempo excesivo fuera de casa, con afirmaciones de haber estado en el centro comercial; no conocer nunca a los amigos con los que salen; ropa u otras posesiones que aparezcan cuando no hay dinero para comprarlas; arrebatos emocionales en cuanto a que no confíen en ellas; posesión de preservativos; aspecto y ropa sugerentes; llamadas telefónicas anónimas o con nombres falsos, mensajes de voz o mensajes de correo electrónico sugerentes. Estas señales no siempre confirman la implicación, y lo más probable es que no sea así; pero los padres observadores o quienes trabajan con jóvenes necesitan hacer preguntas cuando aparezcan estas señales.

¿Qué puede hacerse con respecto a esta situación? He aquí algunas sugerencias: Proporcionar albergues de emergencia y alojamiento transitorio para los jóvenes prostituidos y quienes corren el riesgo de estarlo. Darles a las autoridades policiales el conocimiento y las capacidades para reconocer a individuos que explotan de manera sexual a los jóvenes a fin de que puedan acusar y juzgar a los responsables y comunicar con eficacia esperanza y cuidado a las víctimas. Por último, aumentar las penas contra los responsables de tales delitos de explotación[7]. Los valores adecuados son la única protección real de la seductora influencia de quienes engatusan a los adolescentes. Después de todo, infundir unos valores adecuados es la responsabilidad primordial de todos los padres, en especial de los papás. No cabe duda de que si los papás proporcionan cosas materiales sin ningún valor junto a ellas, sus hijas se convierten en presa fácil para los proxenetas que proporcionan cosas materiales al parecer sin ningún compromiso.

La Escritura es clara, explícita y esperanzadora en 1 Corintios 6:9-11: «¿No saben que los malvados no heredarán el reino de Dios? ¡No se dejen engañar! Ni los fornicarios, ni los idólatras, ni los adúlteros, ni los sodomitas, ni los pervertidos sexuales, ni los ladrones, ni los avaros, ni los borrachos, ni los calumniadores, ni los estafadores heredarán el reino de Dios. Y eso eran algunos de ustedes. Pero ya han sido lavados, ya han sido santificados, ya han sido justificados en el nombre del Señor Jesucristo y por el Espíritu de nuestro Dios».

Suicidio o intento de suicidio

OS ADOLESCENTES entraron deprisa en su instituto de Colorado y mataron a tiros a trece personas. Sin embargo, casi perdido en la avalancha de los tiroteos del instituto Columbine estaba el hecho de que los dos jóvenes estaban también en una misión suicida. Los alumnos de último año del instituto habían planeado en detalles sus muertes, hasta las balas y explosivos finales, casi con un año de antelación. Aunque se habían adherido bombas caseras a sus cuerpos, su plan B fue dispararse a sí mismos, lo cual hicieron. «Querían hacer todo el daño posible y después arder en llamas», dijo John Stone, el *sheriff* del caso[1]. En el país en general, por cada adolescente que abre fuego en una escuela, otros miles se dan un tiro, se cortan las venas o se tragan pastillas en suicidios o intentos de suicidio.

El suicidio se define como un intento exitoso o no exitoso de matarse a uno mismo, y es un problema con el que batallan muchos adolescentes. En los Estados Unidos, el suicidio es la undécima causa de muerte cada año y, para personas entre los quince y los veinticuatro años de edad, es la tercera causa de muerte a continuación de los accidentes y el homicidio[2]. Lo más sorprendente aun es que los intentos de suicidio sobrepasen con mucho a los suicidios reales. Los hombres tienen más probabilidad de tener éxito en sus intentos que las mujeres, porque con frecuencia escogen métodos violentos, como dispararse o cortarse, mientras que las mujeres muchas veces escogen métodos menos violentos, como venenos o sobredosis de medicamentos[3]. A menudo, los intentos no tienen éxito porque se realizaron en ambientes donde el rescate no solo es posible, sino también probable. Estas causas pueden considerarse como gritos de ayuda.

¿Por qué piensan los adolescentes en el suicidio? Los comportamientos suicidas se producen como respuestas a situaciones que la persona considera abrumadoras, como el aislamiento social, la muerte de un ser querido, el trauma emocional, graves enfermedades físicas, desempleo o problemas económicos, sentimientos de culpa y abuso de drogas o de alcohol. Los comportamientos suicidas también pueden acompañar a problemas emocionales, incluyendo la depresión, la esquizofrenia y otras enfermedades psicóticas. A decir verdad, más de un noventa por ciento de todos los suicidios están relacionados con enfermedades emocionales o psiquiátricas[4]. Por lo tanto, ¿cómo pueden los padres o quienes trabajan con jóvenes saber si esas ideas están en los pensamientos de los adolescentes? Aquí tiene varias señales de advertencia tempranas:

▶ Depresión

▶ Afirmaciones o expresiones de sentimientos de culpa

▶ Tensión o ansiedad

▶ Nerviosismo

▶ Impulsividad

▶ Cambios en los hábitos alimenticios y de sueño

▶ Abuso de drogas y alcohol

▶ Notables cambios de personalidad

▶ Reacciones violentas, conducta rebelde, huida

▶ Aburrimiento persistente, dificultad de concentración, calificaciones que empeoran

▶ Pérdida de interés en actividades divertidas

▶ Enfoque en temas morbosos o de muerte

▶ Frecuentes quejas de dolor de estómago, de cabeza, fatiga: síntomas físicos a menudo relacionados con las emociones

▶ Intolerancia de elogios o recompensas

▶ Anteriores intentos de suicidio

▶ Historial familiar de suicidio

▶ Quejas de sentirse «podrido por dentro»

▶ Indicaciones verbales, como: «Ya no seré un problema para ti por mucho tiempo; nada importa; no vale la pena; no te volveré a ver; desearía no haber nacido»[5].

Cualquier combinación de esos actos que se muestren en los adolescentes deberían tomarse de inmediato que dan muestras de que están presentes pensamientos y actos suicidas. A medida que los jóvenes se inclinan cada vez más hacia actos suicidas, estas señales críticas deben estar presentes:

▶ Cambio repentino de conducta (en especial calma tras un período de ansiedad)

▶ Regalar pertenencias; intentos de poner en orden los asuntos

▶ Amenazas directas o indirectas de cometer suicidio[6]

Todas las amenazas e intentos de suicidio deberían tomarse en serio. Uno nunca debería suponer que una persona que intenta suicidarse solo quiere obtener atención. Quienes realizan repetidos intentos de suicidio tendrán éxito a la larga. Cerca de una tercera parte de las personas que intentan suicidarse repetirán el intento en un período de un año, y cerca del diez por ciento de quienes amenazan o intentan suicidarse se matarán al final[7]. Puede que sean necesarias medidas de emergencia si las personas han intentado suicidarse. Puede que se requieran primeros auxilios por hemorragia, resucitación cardiopulmonar o de boca a boca, u otras medidas. Con frecuencia es necesaria la hospitalización, tanto para tratar intentos actuales como para prevenir futuros intentos. La intervención psiquiátrica es uno de los aspectos más importantes del tratamiento. Las complicaciones varían dependiendo de los tipos de intento de suicidio. Los profesionales de la salud mental deben evaluar con prontitud a las personas que amenazan suicidarse o intentan hacerlo. ¡No hay que pasar por alto nunca una amenaza o intento de suicidio! Muchas personas que intentan suicidarse hablan al respecto antes de llevar a cabo sus intentos. A menudo, la capacidad de hablar con personas comprensivas y no críticas es suficiente para evitar que las personas intenten suicidarse. Por eso los centros de prevención del suicidio tienen servicios de líneas telefónicas.

En situaciones de emergencia, llame a la policía o lleve a la persona a la sala de urgencias más cercana, sin importar si tiene o no instalaciones de psiquiatría. No deje sola a la persona, aunque se haya comunicado con un profesional adecuado. Quizá sea necesaria la hospitalización durante períodos de comportamiento suicida. Después de una amenaza de suicidio, la familia y los amigos deberían apartar cualquier herramienta obvia que se pueda utilizar en un intento de suicidio y deberían observar con atención a la persona.

¿Cuáles son las consecuencias del suicidio? Si tiene éxito, la muerte. Las personas no tienen segundas oportunidades y, dependiendo de sus creencias personales, pasarán la eternidad en el cielo o en el infierno. No obstante, si no tienen éxito, deben tratar con otros problemas. En primer lugar, tienen que vivir con el hecho de que sintieron que su único escape era quitarse la vida, y eso puede ser difícil de digerir. A menudo esa culpabilidad conduce a segundos y terceros intentos de suicidio. También tienen que tratar con el hecho de que la sociedad los calificará siempre como «supervivientes de suicidio». Es posible que las personas que saben lo sucedido les traten de modo diferente. Los amigos y la familia pueden sentirse heridos y traicionados. Se probarán antiguas relaciones y muchas no sobrevivirán. Dependiendo de los métodos intentados, puede que la persona tenga cicatrices físicas, emocionales y sociales con las cuales vivir durante el resto de su vida. Esas cosas también suelen servir como recordatorio que puede conducir a segundos y terceros intentos.

Por lo tanto, ¿cómo abordamos este problema? No va a desaparecer, y a menos que encontremos soluciones, solo empeorará en lugar de mejorar. Como sociedad, necesitamos asumir la responsabilidad por nuestros actos y por nuestros hijos. Necesitamos enseñarles cómo manejar mejor el estrés y los problemas, pero asegurándonos de que sepan que no están solos. Necesitamos estar a su lado. Necesitamos mostrarles a los jóvenes que vale la pena vivir y que en ningún momento estarán tan indefensos y solos que la muerte sea la única respuesta.

Para los padres y quienes trabajan con jóvenes, las soluciones a este problema incluyen:

▶ Preguntar al adolescente al respecto. No temer decir la palabra *suicidio*. Expresar la palabra con franqueza puede ayudar a los jóvenes a pensar que alguien ha oído sus gritos de ayuda.

▶ Asegurarles que les quiere. Recordarles que a pesar de lo horribles que puedan parecer sus problemas, pueden solucionarse, y usted está dispuesto a ayudar.

▶ Pedirles que hablen de sus sentimientos. Escuchar con atención. No descartar sus problemas ni enojarse con ellos.

▶ Quitar todas las armas letales de la casa, incluyendo pistolas, pastillas, utensilios de cocina y cuerdas.

▶ Buscar ayuda profesional. Pedir al pediatra del adolescente que le dirija. Hay una variedad de programas de tratamiento disponibles en hospitales y fuera de ellos[8].

▶ Levantar a los adolescentes en el camino del Señor. «Las muchachas tenían más probabilidad de haber intentado suicidarse si la religión no era importante en sus vidas»[9].

Amar a los adolescentes evita que les sucedan muchas cosas. Amarlos significa saber con quién pasan tiempo, hablar con ellos de manera regular, ser parte de sus vidas aun cuando se aparten, y estar a su lado para levantarlos cuando caigan (donde más necesitan a adultos que los quieran).

También debemos llevar a nuestros jóvenes a la iglesia y a la Biblia, a fin de que puedan ver que tienen significado, que son importantes. Si ven lo valiosos que son a los ojos de Dios y todo lo que Jesús pasó por ellos, desaparecerán esos sentimientos de soledad y vacío. Solo Jesús puede llenar el vacío que hay en su interior. Con frecuencia, los adolescentes están dispuestos y buscan respuestas. Si les mostramos amor y genuina compasión y que Dios les ama, tendrán menos probabilidades de sentir que las cosas son abrumadoras y que la única vía de salida es quitarse la vida. Jesús dijo: «El ladrón no viene más que a robar, matar y destruir; yo he venido para que tengan vida, y la tengan en abundancia» (Juan 10:10).

Televisión

EXAMINEMOS CUALQUIER hogar en los Estados Unidos y descubriremos que posee más de un televisor. Según un estudio de la fundación *Kaiser Family*, cerca de un noventa y nueve por ciento de los hogares tienen al menos un televisor, y un sesenta y dos por ciento tienen tres o más. Las opciones, como nunca antes en la historia, incluyen televisión por satélite con cientos de canales, importantes redes que compiten las unas contra las otras, canales por cable que están al borde de la decencia y la televisión por la Internet. Ahora pueden verse los programas a través de los teléfonos celulares o pueden llevarse televisores de bolsillo a todas partes. Recientes encuestas nos dicen que tres de cada cuatro jóvenes pasan cuatro horas diarias viendo la televisión. Eso supone unas increíbles veintiocho horas por semana[1]. Más alarmante es el contenido de los programas que consumen los niños o los adolescentes. Ya no estamos hablando de programas para niños como *El capitán canguro*. La televisión ha pasado del entretenimiento neutral a los programas vulgares que los niños sintonizan en grandes números. Solo sentémonos y veamos *MTV* una tarde, y descubriremos que se pone poca música. Más bien, lo que veremos no es nada menos que pornografía ligera y los *reality shows* que describen a los jóvenes participando en la promiscuidad sexual y utilizando lenguaje vulgar.

¿Y qué tiene? La televisión es solo una forma de entretenimiento, ¿no es así? Consideremos los siguientes descubrimientos de Deborah Tolman en su artículo: «Consumo de televisión y actividad sexual de los adolescentes». Descubrió que los tres programas más populares entre los jóvenes de octavo grado eran *Buffy, la caza vampiros; Los Simpsons* y *Friends*.

En los tres episodios de *Buffy, la caza vampiros* (el drama de una hora de duración) analizados en este estudio, se describía el acto sexual una vez y se daba a entender dos veces, y se producían siete veces besos apasionados. Ninguno de los episodios de *Friends* o *Los Simpsons* (las comedias de situación de media hora) en este análisis implicaban acto sexual (dado a entender o descrito), pero había múltiples situaciones de besos (cinco en *Friends*, cuatro en *Los Simpsons*) y flirteo físico (tres ocasiones en *Friends*). Así, mientras se observaron conductas sexuales más íntimas en el drama (*Buffy*), las dos comedias de situación contenían un mayor número de flirteos y besos, en particular al considerar la diferente duración de los programas (tres horas completas de programación contra una hora y media). Un patrón similar se observó en las conversaciones sobre relaciones sexuales y se observó una conversación sexual un poco mayor, pero la diferencia no era tan sustancial, en particular cuando tomamos en cuenta la diferencia en tiempo de duración (veinte situaciones en total de conversación sobre relaciones sexuales en *Buffy*; catorce en *Friends*; seis en *Los Simpsons*). Tomando solo en cuenta la cantidad de comportamientos sexuales en estos programas y la frecuencia en que se ven los mismos, pudimos prever los deseos de los adolescentes de probar nuevos comportamientos sexuales. Aunque el efecto identificado es pequeño, la mayor frecuencia en que se ven los programas está relacionada con un mayor deseo de experimentar nuevos comportamientos sexuales[2].

Los problemas en la adicción a la actividad sexual y la experimentación son que nuestros hijos aprenden maneras equivocadas de tratar los problemas y de relacionarse con otras personas basados en esos programas de televisión. Los programas de entrevistas como el de Jerry Springer sitúan a los invitados en situaciones hostiles que garantizan que se producirán peleas, amenazas físicas y enfrentamientos. Otros problemas incluyen pocos logros académicos, influencia y predicción ineluctable a medida que los jóvenes se comportan y practican lo que ven en la televisión. Las cuatro horas diarias empleadas en ver televisión podrían aprovecharse mejor leyendo o participando en otras actividades. Ya no se puede confiar en la televisión para que se ocupe de nuestros jóvenes.

Por lo tanto, ¿qué podemos hacer? La respuesta fácil es apagar el televisor; sin embargo, eso quizá no sea algo realista. Las mejores soluciones son los límites y la comunicación. Por límites nos referimos a que los padres deberían establecer reglas (definir límites) con respecto a la utilización de la televisión en sus hogares. Esas reglas pueden girar en torno al contenido, los canales que se ven y el tiempo que se emplea en ver televisión. A medida que formulen esos límites, tendrán que comunicárselos a sus hijos. He aquí algunas sugerencias para los padres: Hablar con franqueza sobre las elecciones que hacen los adolescentes y los programas que ven. No temerle a cambiar de canal o apagar el televisor. Cualquiera que sean las reglas que se establezcan, tomar tiempo para dialogar al respecto con los hijos a fin de que sepan lo que es apropiado y lo que no lo es. Les alentamos a que se sienten y vean con ellos sus programas favoritos, y luego hablen acerca del contenido y las situaciones presentadas. Fuentes como «Unplugged» de Enfoque a la Familia les darán a ustedes y a sus hijos adolescentes valiosas perspectivas sobre el contenido de la programación de televisión.

Mentalidad de matón

Quizás le puedan sorprender algunas letras de canciones que sus hijos adolescentes escuchan. Y todos lo hacen, de cualquier raza y color. Canciones que incitan la mentalidad de matón. Muchos músicos hacen más atractiva ese tipo de mentalidad. En el *ranking* de los «mejores» de todos los tiempos están Tupac Shakur, Nelly, Sean Combs, MC Hammer, Public Enemy, Notorious BIG, LL Cool J, Eminem, Dr. Dre, Grandmaster Flash, Salt-N-Pepa, Jay-Z, los Beastie Boys, Afrika Bambaattaa, Lil´Kim, y Queen Latifah, por nombrar solo unos cuantos. Estas «estrellas» de la actualidad usan temas comunes de violencia, drogas, misoginia (odio a las mujeres) y la muestra clara de dinero, joyas y vehículos caros[1]. En Detroit, donde tienen su parte de violencia a tiros, el criminólogo de la Universidad Estatal de Michigan, Carl Taylor, dice que aunque los tiroteos suceden en todas partes, son una indicación de la «mentalidad de matón» que está sesgando las comunidades y asustando a los habitantes de las zonas residenciales de todas las razas. «No es representativo de la ciudad entera, pero es representativo de los matones que gobiernan el bajo mundo», dijo Taylor, oriundo de Detroit. «Para el género matón, un tiroteo como este fue bueno. Esa cultura dice: "Sí, te ocupaste de los negocios"»[2].

La cuestión es que todos esos «artistas» de la mentalidad de matón presumen de provenir de la calle, y ahora son ricos aunque sin educación. Esto envía el mensaje de que burlan el sistema. Los jóvenes impresionables ven eso y deciden que no necesitan tener una buena moralidad, educación ni antecedentes penales limpios para lograrlo.

El 16 de abril de 2004, la estrella del equipo del instituto *Benedictine* (Cleveland, Ohio), Lorenzo Hunter murió de un disparo. Lorenzo, John Huddleston y el compañero de equipo Raymond Williams, el jugador de fútbol más aclamado de la universidad en Ohio, presuntamente estaban tratando de robarle a un traficante de drogas. Hunter y Williams provenían de hogares rotos. Eso ofrece algo de perspectiva, pero ninguna excusa. Los hombres en sus vidas eran sus entrenadores; y los entrenadores no están disponibles a las dos de la madrugada, cuando se preparan locuras como robar a traficantes de drogas. Los entrenadores no llevan a la cama a sus jugadores, ni se aseguran que estén en las calles a una hora razonable. Ese es el papel de los padres. Y dos de esos muchachos no tenían padres formales. El *Plain Dealer* entrevistó a Raymond Williams una semana antes de que sucediera esto, y de esa entrevista salieron dos puntos interesantes. Identificó la teología como su tema favorito y al rapero *50 Cent* como su artista musical favorito. No podría haber dos influencias más diametralmente opuestas en la vida del joven. Las personas a quienes les encanta el estudio de la teología casi nunca celebran a artistas brutos que de modo presumido urden intrincadas historias de asesinato en sus canciones[3].

La mentalidad de matón se ha abierto paso hasta la cultura principal estadounidense. Timothy Brown, del *Global Black News*, explica su emergencia de esta manera: «Antes que todo, uno debe reconocer las difíciles condiciones en que la clase negra trabajadora se ve obligada a vivir. En los barrios negros (o, en general, en barrios donde la gente está empobrecida económicamente), los jóvenes negros deben trabajar duro a fin de sobrevivir. En este clima, los negros hacen un uso "furioso" de sus capacidades. Los hombres negros son limpiadores de alfombras, plomeros, reparadores de teléfonos, electricistas, instaladores de cable, cocineros, DJ (el tipo de trabajadores que no encontrará en las páginas amarillas, si sabe lo que quiero decir). Las mujeres de la clase negra trabajadora siguen teniendo todo empleo imaginable, incluyendo compaginar muchos trabajos temporales a fin de poder ocuparse de sí mismas y de sus hijos. Es lamentable que en una sociedad que ha abandonado su compromiso social con el bienestar de sus ciudadanos, los jóvenes negros hayan recurrido al "trabajo duro" a fin de ganarse la vida. Aunque algunos se las han arreglado para utilizar destrezas "respetables" para lograr sobrevivir, otros se han apoyado en sus recursos biológicos a fin de que les paguen: la voz humana y el cuerpo humano»[4].

Los artistas que celebran esta mentalidad de matón deben comprender que las palabras que pronuncian y los actos que realizan influyen en los jóvenes e impresionables adolescentes. El mensaje que les están enviando a los jóvenes estadounidenses, blancos y negros por igual, no ayudará a esos muchachos más adelante en la vida. La mayoría de los artistas del rap se niega a reconocer sus responsabilidades como potenciales ejemplos a seguir, desviando las críticas como si fueran otro intento racista por parte de los medios para aplastar su creatividad negra en las artes. En realidad, los principales medios de comunicación añaden más leña al problema tratando a quienes hacen hip-hop como artistas serios.

Esta mentalidad de matón ha influido también en las muchachas, y algunas admiten que prefieren a jóvenes que muestren características de bruto. Explican que el bruto puede protegerlas mejor y, de alguna manera, proveerles mejor. El bruto no es «suave». Sin embargo, el atractivo de esa imagen se ha desvanecido, y en su lugar ha surgido una imagen de masculinidad que no tiene nada que ver con ser hombres proveedores o solo ser hombres agradables. Los matones son rudos y toman lo que quieren por la fuerza o la intimidación. Esa imagen se aplaude, y con demasiada frecuencia la adoptan quienes de manera insensible desperdician sus oportunidades y sus vidas. Bill Cosby hizo titulares en mayo de 2004 en una aparición en la conferencia anual de *Rainbow/PUSH Coalition and Citizenship Education Fund* cuando regañó a algunos negros pobres por su gramática y los acusó de desperdiciar las oportunidades que les dio el movimiento de derechos civiles. Les respondió a sus críticos que estaban tratando de ocultar los trapos sucios de la comunidad negra. «Dejen que les diga algo: sus trapos sucios salen de la escuela a las dos y media cada día. Maldicen y se ponen apodos unos a otros mientras caminan por la calle», dijo Cosby[5].

Los artistas brutos de los Estados Unidos ya «han sido genuinos» el tiempo suficiente. Todos sabemos de los problemas en el Estados Unidos urbano. Artistas, productores y ejecutivos de casas discográficas que están ganando mucho dinero «hablando de basura» deberían enfocarse en alternativas y soluciones para una generación denigrante. Entonces, quizá, la VH1, BET y MTV mostrarán más conciencia moral de la que se transmite en la actualidad.

A los jóvenes afroamericanos se les debe desafiar a entender que hablar un lenguaje normal, obtener buenas calificaciones en la escuela y ser corteses no es tratar de ser blancos. El rechazo a la vida en la calle no es un rechazo de su raza. Es mucho menos desafiante convertirse en madres adolescentes, traficantes de drogas, miembros de pandillas, fracasados escolares o artistas.

Richard O. Jones, autor negro, poeta, columnista y consejero en Moreno Valley, California, dijo sin ambages ni rodeos: «Debemos despertar a nuestra juventud a la realidad. Ser duro es bueno. Es la dureza la que te impulsa a sobrevivir al racismo y la pobreza. Ir bien en la escuela cuando tu mamá es alcohólica y tu papá está en la cárcel o en un lugar desconocido es duro. Terminar la universidad cuando no tienes ayuda económica y tienes que tener dos empleos es duro. Ser una persona honesta en una cueva de ladrones es duro. Resistir la tentación de la relación sexual hasta ser adulto cuando te rodea por todas partes es duro»[6].

Nuestros jóvenes necesitan otra voz. Los adolescentes necesitan pensar por sí mismos y mirar con seriedad a los íconos de su cultura pop. Esos de nosotros que trabajamos con jóvenes necesitamos mostrarles alternativas para esta mentalidad de matón antes de que cosechen toda una vida de consecuencias al vivir e imitar estilos de vida de matones.

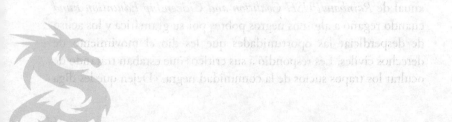

Vampirismo

YO, STEVE, tuve mi única experiencia con el vampirismo en un viaje misionero en Alberta, Canadá. Mis alumnos y yo visitábamos un centro juvenil en la ciudad, cuando uno de los alumnos le preguntó a unas de las personas que trabajaban allí cuál era el principal problema que afrontaban los jóvenes del lugar. Su respuesta fue el vampirismo. William Schnoebelen es un ex vampiro. El Sr. Schnoebelen dice:

> Al igual que con la mayoría de las cosas espirituales, uno puede pasar por alto de inmediato casi todo lo que ha visto de Hollywood. Los vampiros no son cadáveres no muertos que se convierten en neblina o se vuelven murciélagos. Si hay tales seres, no los hemos visto nunca. Eso no significa descartar la posibilidad, sino solo decir que están por encima de nuestra experiencia. No, los vampiros son personas que con frecuencia tienen trastornos de gravedad (traducción bíblica: endemoniadas). Esas personas obtienen alivio del estrés al beber su propia sangre o sangre de animales o de otras personas. Es más común para las mujeres que se encuentran afligidas que beban su propia sangre y para hombres tomar sangre de otros. Muchos supervivientes del

abuso hablan de una increíble presión para hacerse cortes en sus propios cuerpos y luego beberse su sangre. Una vez que lo hacen, sienten una gran liberación de tensión[1].

Los vampiros adolescentes tienen sus propias páginas Web, donde proporcionan los horarios y situaciones de grupos de apoyo a vampiros. Una página Web afirma tener trescientas cuarenta y cinco ciudades con grupos de apoyo a vampiros y con casi tres mil miembros[2]. Aun más inquietante es la conducta de vampiro más reconocida: hacer cortes y beber sangre, aunque algunos vampiros afirman que eso está pasado de moda. Ahora lo que está en boga es sacar la energía psíquica de las personas. Las siguientes indicaciones intentan tener algún reflejo de responsabilidad y conciencia, pero son de apoyo total para el adolescente:

▶ Asegúrate de que tu donante esté sano. Si bebes con frecuencia, digamos una vez al mes o más a menudo, es mejor que tú y tu donante se hagan análisis de sangre dos veces al año. De otro modo, una vez al año estaría bien. Si no quieres pagar por los análisis, dona sangre a la Cruz Roja o en un lugar similar. Ellos la analizan y te dan los resultados.

▶ Limpia el cuchillo o lo que sea, la piel antes de cortarla y la herida después de beber.

▶ Cuanto más afilado esté el cuchillo, mejor. Los bisturís de cirujano son casi siempre los más afilados que se pueden conseguir. (¡Nota! Los bisturís de cirujano se utilizan en las artes, en especial en la pintura a la acuarela, por si alguien te pregunta por qué quieres comprar uno).

▶ La boca tiene todo tipo de bacterias. Antes de beber, mantén un poco de agua en tu boca. No te cepilles los dientes porque tus encías pueden comenzar a sangrar. Si tú o tu donante tienen alguna enfermedad en la sangre, de seguro se la pasará al otro.

▶ Por la misma razón antes mencionada, si tienes heridas que sangran en tu boca, no bebas sangre.

▶ Por el bienestar de tu donante, no chupes sangre de la herida. Deja que mane la sangre y luego lámela. Chupar con fuerza puede causar daño a las venas.

▶ No hagas cortes demasiado profundos. Hay muchas venas pequeñas cerca de la superficie de la piel. Y vigila con atención las principales arterias. Además, de todos modos, es mejor que el donante sea el que se haga los cortes; en primer lugar, porque puede ser difícil mantener el control de uno mismo cuando se sabe que pronto obtendrá sangre y, en segundo lugar, debido a asuntos legales si sucede algo.

▶ Ten cerca esparadrapo y los números de teléfono de alguien que sepa algo más que primeros auxilios y en quien puedas confiar en caso de que suceda algo más grave. No creo que quieras tratar de explicar en la policlínica lo que estabas haciendo[3].

Todo el asunto de la sangre cruza líneas bíblicas con los mandamientos del Antiguo Testamento (Génesis 9:4; Levítico 3:17; 7:26); el necesario derramamiento de sangre para la remisión de los pecados del pueblo (Hebreos 9:22); y, desde luego, la sangre de Cristo (Lucas 22:20; Hebreos 9:12; Efesios 1:7). Ya sea que llamemos a esos adolescentes vampiros o ángeles oscuros, abarcan cierto rango de actividades. Con frecuencia:

▶ Limitan su participación a la representación de papeles y a la fantasía

▶ Se reúnen en *Goth* o clubes similares los fines de semana

▶ Les atraen las prácticas eróticas y participan en ellas, prácticas relacionadas con algunas formas de vampirismo

▶ Les atraen el lado oculto y oscuro del vampirismo

▶ Creen que pueden obtener poderes especiales al beber sangre

▶ Están en un grupo o «clan» con otros

▶ Se identifican como vampiros basándose en sus propios criterios personales[4].

Algunos jóvenes que participan en estas prácticas van al dentista para que haga que sus incisivos sean más notables. En su mayoría, se visten con ropa victoriana o negra. Sus personas públicas se ven ampliadas por películas que dan encanto y destacan sus misteriosos trasfondos y estilos de vida. Algunos incidentes extremos y horrorosos tratan de delitos relacionados con vampiros, como lo que le sucedió a Thomas McKendrick.

«Sandra French estaba comprando en su supermercado local cuando Menzies, el hombre que creía que había sido el amigo de su hijo por mucho tiempo, se le acercó y le preguntó si sabía cómo limpiar manchas de sangre. La escalofriante pregunta solo tuvo sentido tres semanas después cuando se descubrieron los restos descuartizados de su hijo.

»Las pruebas forenses revelaron que a Thomas lo habían apuñalado cuarenta y dos veces y había sufrido diez martillazos en la cabeza. Menzies se comió parte de la cabeza de su amigo antes de situar el cuerpo sin vida a su lado a fin de poder realizar el ritual de sacar la sangre.

»En otra ocasión, los restos de una galesa, Mabel Leyshon, se encontraron mutilados en su casa. La apuñalaron veintidós veces antes de que le sacaran el corazón y lo pusieran en una bandeja con forma de cruz. Su asesino de diecisiete años estaba obsesionado con los vampiros y se bebió la sangre de su víctima en una búsqueda de la inmortalidad»[5].

Kentucky se ha convertido en el centro de los asesinatos relacionados con el ocultismo y que implican a sospechosos adolescentes. Un grupo de adolescentes del este de Kentucky conducidos por un satanista estuvo implicado en un triple apuñalamiento en Tennessee. Otro grupo de adolescentes de Kentucky perteneciente a una «secta de vampiros» salió a matar, comenzando con perros y graduándose con seres humanos[6].

Esta inquietante conducta de los adolescentes será obvia en algunos casos y estará oculta en otros. Algunos jóvenes buscan atención e individualismo. Puede que las señales no sean tan obvias en quienes se descubre que llevan a cabo esta conducta. Un investigador dijo que los rasgos que encontró en quienes son atraídos al vampirismo eran: «apatía, malestar, confusión, sentimientos de abandono, soledad, déficit de atención, falta de una sana autoestima, deseo de control o poder sobre sus impotentes circunstancias, desesperanza, y la necesidad de "ser alguien"»[7].

Los padres y quienes trabajan con jóvenes deberían mostrarles a los jóvenes el respeto que procuran y la autenticidad que desean en las relaciones. También pueden hacer girar el tema de la sangre idealizando a Aquel que derramó su sangre por todos nosotros. La mítica inmortalidad que los vampiros buscan no puede alcanzarse mediante sus rituales y ritos. Sin embargo, la fe en Cristo garantiza el regalo de la vida eterna.

Vandalismo

EL VANDALISMO ES dañar de manera consciente la propiedad pública o privada sin razón alguna. El programa de informe de delitos del FBI (UCR [por sus siglas en inglés]) define el vandalismo como intencionada o maliciosa destrucción, daños, deformidad o desfiguración de cualquier propiedad pública o privada, real o personal, sin el consentimiento del dueño o de las personas que tienen custodia o control[1]. Según la oficina del departamento de justicia juvenil y prevención de la delincuencia de los Estados Unidos (OJJDP [por sus siglas en inglés]), en el año 2000 el número de jóvenes arrestados por vandalismo fue de ciento catorce mil cien, de los cuales un doce por ciento era de mujeres y un cuarenta y cuatro por ciento tenía menos de quince años de edad[2].

Los adolescentes pueden cometer actos vandálicos debido a que estén buscando atención, se relacionen con los grupos equivocados o solo por querer sobresalir. Otras causas pueden ser el aburrimiento producto de la carencia de actividades para jóvenes y desinterés por parte de los adultos. De algún modo, los adultos se han alejado tanto del mundo de los jóvenes que han olvidado que ellos mismos fueron jóvenes en cierta época.

Los líderes de jóvenes, maestros y padres pueden reconocer a los adolescentes que tienen problemas con el vandalismo debido a la manera en que se comportan cuando están cerca de propiedades de otras personas. Es posible que destruyan cualquier cosa al alcance de sus manos marcándola o despedazándola.

En los salones de clase los adolescentes destrozan pupitres escribiendo sus nombres o símbolos en ellos. Escriben grafito en grandes carteles, trenes o paredes de baños; arañan las puertas de los vehículos o los rompen sin razón alguna. Rocían con pintura, rompen cristales, abollan buzones de correo y profanan cementerios.

El vandalismo les cuesta a negocios, escuelas y dueños de casas más de quince mil millones de dólares al año, pero para las escuelas es algo más que dinero. Se ha empleado una gran cantidad de dinero y esfuerzo en arreglar los edificios de escuelas, y el vandalismo lo anula todo. El vandalismo desperdicia los recursos para renovaciones y luego necesita aun más recursos para resolverlo. ¿Quién proporciona el dinero adicional para enfrentar el vandalismo? ¡Los que pagan impuestos! Los alumnos que pintan las paredes con tinta o pintura, lanzan piedras a las ventanas o dan patadas a las puertas crean facturas que deben pagarlas sus padres. Sin embargo, el vandalismo también les cuesta el orgullo a las escuelas. Los vándalos no tienen orgullo con respecto a lo que destrozan, y esta falta de orgullo se contagia al resto del cuerpo estudiantil y sus escuelas. Los alumnos no pueden estar orgullosos del maderamen roto, las ventanas entabladas, ni de las paredes llenas de grafito. Por lo tanto, el vandalismo no solo cuesta tiempo y dinero, sino también el sentimiento de orgullo, unidad y respeto que define a las escuelas y sus comunidades.

Los jóvenes no tienen idea de las consecuencias de su vandalismo. No solo los pueden arrestar, sino también deberían pagar o reparar el daño causado. Deberían enfrentarse a las víctimas de su vandalismo y ofrecerles disculpas. El contexto emocional de tal situación podría «curar» a los jóvenes de tal comportamiento.

Los que trabajan con jóvenes, maestros y padres pueden impedir el vandalismo enseñando la verdad al respecto mediante ejemplos y sus consecuencias. Hay vídeos que pueden mostrar lo que es el vandalismo y lo que le sucede a la gente que comete los delitos. Los estudiantes no entenderán lo que están haciendo mal hasta que vean lo que sucede. Si piensan en otras personas que destruyen sus propiedades, entenderán lo que están haciendo. Los jóvenes tienen que comprender que el vandalismo está mal, no solo contra la propiedad, sino también contra las personas que tienen que arreglar, reparar, sustituir o pagar los daños que han causado.

Videojuegos violentos

LOS VIDEOJUEGOS VIOLENTOS han invadido nuestros estudios y salas por todo el país. La violencia se presenta en muchos de estos juegos como acontecimientos ordinarios para salir de los apuros. El problema es que los niños de cualquier edad pueden jugar a esos juegos. Está Playstation, Playstation 2, Game Cube, X-box, Dream Cast, Sega Génesis, Nintendo, Nintendo 64, Súper Nintendo y juegos para computadoras. Algunos juegos tienen gráficos que son iguales de buenos que la televisión, y los juegos mismos son más violentos que las películas prohibidas para menores que se ponen en los cines hoy en día. Bazucas o tanques que despedazan los cuerpos de soldados, persecuciones a gran velocidad que terminan en terribles explosiones y pandillas callejeras que se persiguen unas a otras son solo unas cuantas de las historias que están tras los videojuegos en la actualidad.

Esas historias no son tan solo violentas, sino que los jóvenes también, y hasta los niños, ven esas imágenes violentas y no les parece nada mal. Debido a esto, algo les está sucediendo a los jóvenes hoy en día que nunca antes ha sucedido: Se están insensibilizando en cuanto a la muerte. Susie, de once años de edad, llama aburrido a un juego «porque lo único que haces es golpear a personas y eso se vuelve repetitivo»[1].

Los estudios muestran que esos juegos pueden hacer que los adolescentes sean agresivos y violentos cuando se enfrentan a situaciones difíciles. Así, utilizan la violencia en lugar de solucionar esas situaciones o encontrar alternativas para resolver sus problemas.

Los videojuegos se presentaron por primera vez en los años setenta (Pong), pero no se hicieron populares hasta finales de esa década. En los años ochenta los videojuegos se habían convertido en pasatiempos regulares para muchos niños. En un estudio realizado en el año 1993, los investigadores preguntaron a casi cuatrocientos niños de séptimo y octavo grado con qué frecuencia jugaban con videojuegos. Descubrieron que un treinta y seis por ciento de los alumnos varones jugaban de una a dos horas de videojuegos cada semana, y un veintinueve por ciento jugaban de tres a seis horas por semana. El resto no jugaba nada[2].

Algunos videojuegos permiten a los jóvenes dispararles a personas y ver cómo se despedazan sus cuerpos por bombas y otras armas. Algunos de esos juegos son: Quake, Doom, Mortal Kombat y Grand Theft Auto. Los jóvenes dicen que esos juegos les permiten librarse del estrés y desahogar sus sentimientos después de los días malos.

Lo extraordinario con respecto a estos videojuegos violentos es que se han vuelto más comunes que los juegos no violentos. La NCTV (Coalición Nacional sobre Violencia Televisiva) ha mostrado en su informe que los juegos calificados de extremadamente violentos aumentaron de un cincuenta y tres por ciento, en el año 1985, a un ochenta y dos por ciento, en 1988. Es más, uno de los distribuidores de videojuegos más populares, Nintendo, en cuarenta de sus cuarenta y siete juegos, tenía la violencia como tema[3]. Hace poco, los videojuegos cumplieron treinta y dos años y han obtenido unos ingresos brutos anuales de más de diez mil millones de dólares. Los ingresos brutos anuales para los videojuegos violentos fue casi la mitad de esa cifra. Los ingresos anuales individuales de algunos juegos se sitúan en millones de dólares[4].

«No hace mucho tiempo, importantes voces, tanto de izquierda como de derecha, podían estar de acuerdo en que el uso habitual de videojuegos entre niños tenía consecuencias perjudiciales: una mayor propensión al comportamiento antisocial, si no violento y agresivo; una mayor incidencia de obesidad; profunda docilidad y pereza. Sin embargo, hoy en día jugar a videojuegos se ha convertido en un hábito de padres y adultos jóvenes, y aún nos queda por descubrir cuáles serán las consecuencias de esto (o ya son) para las actitudes de los padres acerca del uso que los niños hacen de esos juegos. Ya entre los adultos hay cada vez más documentación de la denominada «adicción a juegos violentos», la cual ha hecho que algunos estudiantes universitarios abandonen la escuela, que fracasen matrimonios y que hombres de mediana edad pierdan sus empleos»[5].

¿Cómo pueden los adultos que se interesan reconocer las señales de jugar demasiado a videojuegos violentos? En primer lugar, un estudio realizado en una universidad demostró que la mayoría de los estudiantes que participaba en videojuegos violentos tenía las calificaciones más bajas de sus clases. En segundo lugar, las actitudes de los niños o los jóvenes que juegan a esos juegos violentos cambian de manera considerable. Tales juegos afectan la manera en que tratan a sus maestros, compañeros y padres.

Algunos ejemplos de cambios de comportamiento son:

▶ Cambios de actitud. ¿Se sienten los jóvenes malhumorados después de jugar? ¿Utilizan palabras de odio? ¿Quieren disparar a personas o hacerles cosas malas?

▶ Uso de lenguaje vulgar. ¿Utilizan lenguaje obsceno? ¿Llaman nombres malos a las personas?

▶ ¿Quieren pasar más tiempo jugando a videojuegos que con la familia o los amigos?

▶ ¿Utilizan la violencia física, como peleas a puñetazos o peleas en general?

Cuanto más juegan los jóvenes y los niños a esos juegos violentos, tienen más probabilidades de llevar a cabo en la realidad esas agresiones. Parker V. Page, presidente del centro de recursos televisivos y de educación para niños en San Francisco, dice: «Los estudios preliminares sugieren que tales juegos hacen a los niños más agresivos o más tolerantes de la agresión»[6].

Las ramificaciones sociales de esos juegos pueden ser devastadoras para los niños y las comunidades donde viven. Una es la violencia en las escuelas. Esos videojuegos violentos se han relacionado al menos con tres diferentes tiroteos en escuelas, y se sospecha que están relacionados en muchos más. Cuando se les preguntó por qué lo hicieron, un buen número de esos jóvenes dijo que había aprendido a llevar a cabo sus horribles delitos de videojuegos que habían estado jugando. Es más, el tiroteo en Columbine, en el cual los adolescentes Eric Harris y Dylan Kliebold entraron en su escuela con armas semiautomáticas y bombas, se relacionó con videojuegos violentos. Abrieron fuego sobre sus compañeros de clase y mataron trece personas antes de suicidarse. Los investigadores descubrieron juegos violentos en cada uno de los cuartos de ellos junto con películas violentas.

¿Qué pueden hacer los padres para impedir tales resultados? La primera opción es limitar el tiempo que sus hijos pasan jugando a una hora como máximo. Deben asegurarse de comunicar esta regla a sus hijos adolescentes, pero también darles la razón de esto. Deben asegurarse de ser justos con ellos, pero no demasiado tolerantes. En segundo lugar, restringir ciertos juegos para que no entren en la casa. Desde luego, los jóvenes pueden ir a otros lugares a jugar, pero compruébelo llamando a los padres de las casas donde están. Por último, infligir castigo cuando se rompen las reglas. Si los jóvenes no dejan el sistema después de una hora, prohíbaselo durante una semana. Esto puede parecer un poco duro, pero debe quedar establecido que usted es serio con respecto a esta regla. Deben darles a los adolescentes tareas extra en la casa a fin de que las hagan durante la hora que pasarían jugando.

Otra solución para la violencia, que ha demostrado ser eficaz, es un sistema de calificación. En la actualidad, está funcionando un sistema de calificación, pero esas calificaciones solo dicen las edades recomendadas para esos juegos. Los límites de edad rara vez se ponen en práctica, y las tiendas no son responsables en lo legal si venden esos juegos a niños menores del límite de edad recomendado. Desde luego, la manera más obvia de resolver la violencia es establecer restricciones en los distribuidores de videojuegos sobre la cantidad de violencia que se permite en sus juegos.

Debido a que muchos padres no son conscientes de la violencia existente en los videojuegos, les permiten a sus hijos adolescentes tener esos juegos. Como cristianos, debemos establecer el ejemplo en la educación y la supervisión de nuestros hijos adolescentes. Los videojuegos violentos pueden ser un tremendo obstáculo para nuestros jóvenes, y es nuestra tarea como padres y pastores u obreros de jóvenes protegerlos de tal daño o peligro.

Wicca

MUCHOS JÓVENES están aceptando la clandestina y silenciosa religión de la wicca. Este término describe sus creencias personales y modo de vida, pero nadie parece estar de acuerdo por completo en lo que significa ser de la wicca. La mayoría dice que es la reencarnación de una vieja religión tradicional celta entrelazada con rituales paganos, y lo llaman «un camino espiritual basado en la naturaleza». Aunque algunos consideran la wicca una parte de la brujería, no está muy implicada en los encantamientos y la magia, sino más bien en la adoración a la naturaleza y en preferencias personales por la religión individual. Quienes la siguen contaminan el nombre de Cristo creyendo que Él solo fue un buen profeta.

El explosivo crecimiento de la wicca, que es un nombre moderno para lo que tradicionalmente se conoce como brujería, tiene un atractivo particular para las muchachas adolescentes. Quienes practican la wicca poseen una obsesión por el poder, como se ve en estas afirmaciones: «Hay un sentimiento de magia que las muchachas obtienen que es muy poderoso, y la wicca "le da poder a los marginados"»[1].

Los que practican la wicca están de acuerdo en que no adoran a Satanás, aunque sí creen en un dios con dos aspectos: dios (varón) y la diosa (hembra). No desean ser críticos ni juzgar, sino vivir en paz con los demás a pesar de las diferencias que haya en sus creencias. La mayoría de los que practican la wicca crean su propio sistema de creencias. Cualquier cosa que hagan siempre es buena mientras no se dañen a sí mismos ni a otros.

Esta religión obstaculiza la extensión de las buenas nuevas de Cristo. Aparte de la mentalidad de «si te sientes bien, hazlo» y la devaluación del poder y la verdadera naturaleza de Cristo, la wicca es en gran medida feminista. Su diosa, aunque algunas veces se creía que representaba a la naturaleza, es más una declaración a favor de los derechos de las mujeres. Un argumento contra la malvada participación de la brujería es que el aspecto feminista se ha enfocado en «quitar todas las connotaciones oscuras de la palabra "bruja" y en cambio la ha restaurado a las viejas relaciones de sanidad y el poder femenino»².

Toda la mentalidad de la wicca está basada en deseos egoístas de hacer y creer cualquier cosa que uno escoja. Eso, en sí mismo, es un enfoque trágico, en especial si se está filtrando a la cultura juvenil. Los medios de comunicación han dado atractivo a la brujería con programas de televisión muy populares como *Sabrina, cosas de brujas*; *Buffy, la caza vampiros*; y *Embrujadas*. A las brujas adolescentes las representan como «avatares de glamour, poder y estilo». Es más (en el momento de escribir esto), *Embrujadas* es el programa que está en segundo lugar en audiencia en su cadena (WB) entre los telespectadores entre dieciocho a treinta y cuatro años de edad. Estos programas describen a las brujas como jóvenes hermosas, encantadoras, atractivas y poderosas. Los medios de comunicación fomentan de manera activa el estilo de vida de la wicca mediante esas caracterizaciones y dramatizaciones de los poderes sobrenaturales³.

Los que practican la wicca hacen una distinción entre la brujería y el satanismo enseñando que no creen en Satanás y, por lo tanto, no son adoradores del diablo. La wicca es en sí una religión inocente y amiga de la tierra que es inofensiva por completo y hasta un poco encantadora. Llevan estrellas de cinco puntas en los predios de la escuela porque es una forma de expresión de religión. En otras palabras, la wicca se esfuerza por ser culturalmente aceptada, causando así el fenomenal crecimiento de la brujería entre los adolescentes.

Los practicantes de la wicca se consideran cristianos debido a su así denominado respeto por Jesús y las similitudes entre sus puntos de vista y los de los cristianos liberales. Rechazan gran parte de la Biblia porque consideran la dureza de algunas historias contradictoria con el Dios amoroso y educador al que adoran.

El sistema de creencias de la wicca implanta confusión y falsa doctrina en las mentes de los jóvenes, haciendo más difícil alcanzarlos. Sus practicantes llegan a consumirse tanto con las cosas que se han convencido de que son adecuadas que no entienden la Verdad. Cualquier cosa que justifique la mente humana, hasta la más absurda mentira, se convierte en una enfermedad casi incurable que vencer.

Esta religión mancha y desafía el cristianismo. El componente más trágico de todo este asunto es que demasiados cristianos carecen del conocimiento bíblico capaz de enfrentar estos crecientes conceptos erróneos con el poder de la Palabra de Dios.

La wicca está en completa oposición a la verdad de la Escritura. Gálatas 5:20 enumera la brujería como uno de las «obras de la naturaleza pecaminosa», y dice que «los que practican tales cosas no heredarán el reino de Dios». Es más, Dios considera de tal forma la brujería que está enumerada bajo la ley del Antiguo Testamento como punible con la muerte. Éxodo 22:18 afirma de modo sencillo e inequívoco: «No dejes con vida a ninguna hechicera». Deuteronomio 18:10-12 dice: «Nadie entre los tuyos deberá [...] practicar adivinación, brujería o hechicería; ni hacer conjuros, servir de médium espiritista o consultar a los muertos. Cualquiera que practique estas costumbres se hará abominable al SEÑOR».

En primer lugar, debemos abordar las actuales tendencias en la búsqueda de espiritualidad de los adolescentes. La brujería en especial es atractiva para los adolescentes que se sienten marginados por la sociedad, y esos son con exactitud el tipo de jóvenes a los que deberíamos dirigirnos en nuestras campañas de evangelización. Esas muchachas están buscando «fortalecimiento», y deberíamos proporcionar lugares seguros en nuestras iglesias a fin de que se sientan aceptadas y queridas. Así no tendrán una necesidad compulsiva del engaño de poder que se ofrece a través de la brujería. También debemos estar preparados para combatir las mentiras de Satanás y para mostrar la luz de la verdad de Dios. Deberíamos sacar a la luz la wicca tal como es: una abominación delante de un Dios santo, una falsa religión y una forma de adoración satánica e idolatría. Por último, debemos ser claros en nuestro mensaje con respecto a que cualquier forma de brujería, como las cartas del tarot, los horóscopos, los médiums o cualquier forma del ocultismo no puede ser parte de nuestro mensaje.

La única solución a la falsa religión es entender la verdad de Dios. Los que practican la wicca tienen ideas indebidas y preconcebidas de los asuntos espirituales. Leen la Escritura, pero entienden mal por completo lo que Dios dice a través de ella. Intentan armonizar lo que enseña la Biblia con sus propias creencias teológicas y morales.

La aceptación es la base del ideal de la wicca. El material escrito sobre la religión de la wicca compara la wicca y el cristianismo, casi como si sus seguidores trataran de justificarse a sí mismos. Si los cristianos se acercan desde el principio a los jóvenes con amor y aceptación, tendrán una mayor oportunidad de alcanzarlos con la verdad de Dios.

RECONOCIMIENTOS

LOS ESTUDIANTES en el programa del ministerio con jóvenes en la universidad *Liberty* son los mejores del país. Como escritores y editores de este libro, reconocemos que no habría sido posible sin su investigación e información sobre las conductas enumeradas en el libro. Algunos estudiantes investigaron sus temas, mientras que otros fueron autores de capítulos completos. A continuación hay una lista de los estudiantes, junto con los temas en los que trabajaron, para darles el crédito adecuado por el trabajo realizado. ¡Les debemos nuestra gratitud y elogios por un trabajo bien hecho!

Daniel Borkovec / Patrick Mabry: Hurto en tiendas
Chad Brown: Rivalidad entre hermanos
Josh Coldren: Marcado con hierro candente
Michelle DiGia: Esteroides
T.J. Easter: Borrachera
Matthew R. Ford: Pornografía en línea
Robert Jones: Medicinas sin receta
Lawrence Knight / Jeremiah Prudich: Deudas de tarjetas de crédito
Sonny Lawrence: Vandalismo
Chris Marvel / Nicola Brophy: Depresión
David Miller: Carreras callejeras
Daniel Moore: Videojuegos violentos
Jennifer Morral: Belleza
Leslie Nall: Aborto
Ashley Robertson: Relación sexual prematrimonial
Kristopher Shaffer: Fugas
Jeremy Sluss: Lenguaje profano

Bradley Swartz: Fugas / Hurto en tiendas
Chad Vanderburgh: Pandillas
Matthew Walker: Embarazo

Una gratitud especial a Vanessa Cote, Brooke Cromley y Agnes Lawless por su duro trabajo en la mecanografía y la edición de este libro.

También nos gustaría reconocer a los siguientes estudiantes por su ayuda para hacer que este libro fuera posible.

Katherine R. Adams	Elizabeth M. DeLange
Kelly L. Andrews	Brandon L. Delk
Stephen R. Ankerich	Ryan P. Dempsey
Michelle F. Aurelio	Krissann M. Dooley
Matthew A. Barber	Ben P. Doyle
Philip S. Baucom	Brandon G. Ellis
Tina J. Bellows	Jessica A. Erkfitz
Courtney E. Bingman	David M. Farwell
Nicoala Brophy	Sidney C. Fields
Chad J. Brown	Robert M. Franklin
Dominique D. Brown	Jacob K. Goudeau
Alyson M. Brummitt	Melissa Gutiérrez
Charles H. Bussey	Matthew A. Hahn
Brandon M. Byler	Brian W. Harbour
Takyra C. Caston	Micah A. Hasty
Daniel P. Conner	Tina L. Hawkins
Donald J. Cronrath	Christopher A. Henry
Samuel P. Croteau	Salvador Hernández
Tatiania K. Cunningham	Jacob W. Hicks
Andrew J. Davis	Bennie B. Higgins
Justin M. Davis	Mallory E. Hill
Walter A. Davis	Josh Hobbs
Caleb S. Dawson	Christy A. Hyde
Joel M. Dechant	Robert B. Jarman
Kimberly E. Deichert	Chad W. Jarret

NOTAS

CAPÍTULO 1: ABORTO

1. http://christiananswers.net/life/stories.htlm.

2. *Ibíd.*

3. *Ibíd.*

4. David Reardon y Amy Sobie, «A Generation at Risk: How Teens Are Manipulated into Abortion», http://www.afterabortion.org/PAR/V8/nl/teenabortion.html.

5. «Survey», http://www.afterabortion.org/survey2.htm.

6. Reardon y Sobie, «Generation at Risk».

7. Diane Dew, «Couple Settles Secret Abortion Case with School», *American Center for Law and Justice Press Release*, 15 de marzo de 2000.

8. http://www.lifedynamics.com/pro-life_group/abortion_map.

9. http://www.afterabortion.org/survey2.htm.

10. David Reardon y Amy Sobie, «Detrimental Effects of Adolescent Abortion», *The Post-Abortion Review* 9, n.º 1, enero-marzo de 2001.

11. «Suicide Rate Higher After Abortion, Study Shows», *The Post-Abortion Review* 9, n.º 2, abril-junio de 2001, http://www.afterabortion.org.

12. Reardon y Sobie, «Detrimental Effects».

13. Dew, «Couple Settles».

14. «Teen Abortion Laws: Parental Consent Issues», http://www.afterabortion.org.

15. «Getting the Supplement into High School Newspapers», http://www.afterabortion.org.

16. *Ibíd*.
17. http://www.birthchoice.net/.

CAPÍTULO 2: BELLEZA

1. P. Tyre y E. Pierce, «Ma, I'll Be at the Spa», *Newsweek*, 21 de julio de 2003, p. 10.
2. Walt Mueller, «What You See Is What I Am». *The Center for Parent and Youth Understanding*, http://www.cpyu.org/news/01spring.htm.
3. Bethany Ramos, *Star Power*: http://www.cwrl.utexas.edu/-onderdonk/spring309/teenmagz/keepingitreal.html.
4. Mueller, «What You See».
5. Nanette J. Davis, *Youth Crisis: Growing Up in the High-Risk Society*, Praeger, Westport, CT, 1999.

CAPÍTULO 3: BORRACHERA

1. http://www.childtrendsdatabank.org/indicators/2Binge Drinking.cfm.
2. http://www.intheknowzone.com/binge.
3. http://www.health.org/govpubs/rpo995/.
4. http://www.health.org/govpubs/rpo992/.
5. http://www.childtrendsdatabank.org/indicators/2Binge Drinking.cfm.
6. *Ibíd*.
7. http://www.health.org/govpubs/rpo995/.

CAPÍTULO 4: MARCADO CON HIERRO CANDENTE

1. Rae Schwarz, «Body Art», http://www.index.truman.edu/issues/971106/Focus/focus6.html.
2. Beth Wilkinson, *Coping with the Dangers of Tattooing, Body Piercing, and Branding*, Rosen Publishing, Nueva York, 1998, http://www.netlibrary.com/Reader/.
3. Schwarz, «Body Art».

4. Eric Eckert, «Branding: More than Just Skin Deep», http://www.Bellaonline.com/articles/art10006.asp.

5. Eckert, «Branding.

CAPÍTULO 5: FRAUDE

1. http://archives.cnn.com/2002/fyi/teachers.ednews/04/05/highschool.cheating/index.html.

2. http://www.josephsoninstitute.org/Survey2002/survey2002-pressrelease.htm.

3. http://privateschool.about.com/cs/forteachers/a/cheating_p.htm.

4. http://archives.cnn.com/2002/fyi/teachers.ednews/04/05/highschool.cheating/index.html.

5. http://www.josephsoninstitute.org/Survey2002/survey2002-pressrelease.htm.

6. http://query.nytimes.com/gst/abstract.html?res=FA0D12F83D5C0C758EDDAF0894DC404482&incamp=archive:search.

7. http://archives.cnn.com/2002/fyi/teachers.ednews/04/05/highschool.cheating/index.html.

8. *Ibíd*.

CAPÍTULO 6: EL CLUBBING / LA JUERGA

1. Michael Boston, «Has Club Culture Affected Our Visual Culture?», febrero de 2004, http://www.loged.fsnet.co.uk/articles/clubvisualculture.html.

2. *Ibíd*.

3. Tom Daschle, http://www.ascfusa.org/publications/american_century/americancentury_challenges_daschle.htm.

CAPÍTULO 7: DEUDAS DE TARJETAS DE CRÉDITO

1. http://www.jumpstartcoalition.org/pub/docs/Youth%20Financial%20Literacy%20Statistics.doc.

2. http://www.familyeducation.com/article/0,1120,69-7979,00.html.

3. http://www.nelliemae.com/library/cc_use.html.

4. http://www.familyeducation.com/article/0,1120,68-12590,00.html.

CAPÍTULO 8: CORTES

1. Isaac Meals, http://www.exasko.info.

2. http://www.mirror-mirror.org/selfinj.htm.

3. http://www.focusas.com/selfinjury.htm.

4. http://www.ericcass.uncg.edu/digest/2001-10.html.

5. http://www.hendrickhealth.org/healthy/002170.htm.

6. http://www.mirror-mirror.org/selfinj.htm.

7. http://www.focusas.com/selfinjury.htm.

8. *Ibíd.*

9. http://www.hendrickhealth.org/healthy/002170.htm.

10. http://www.focusas.com/selfinjury.htm.

11. http://www.hendrickhealth.org/healthy/002170.htm.

12. http://www.mirror-mirror.org/selfinj.htm.

CAPÍTULO 9: VIOLACIÓN EN UNA CITA

1. http://teenadvice.about.com/gi/dynamic/offsite.htm?site=http%3A%2F%2Fwww.wholefamily.com%2Faboutteensnow%2Fsexuality%2Frape%2Fdate_rape.html.

2. Mike Hardcastle, «Top 10 Things You Oughta' Know About Date Rape», http://teenadvice.about.com/library/b110thingsdaterape.htm.

3 David G. Curtis, «Perspectives on Acquaintance Rape», http://www.aaets.org/arts/art13.htm.

4. http://www.eclublist.com/daterape.htm.

5. http://www.brave.org/rape.htm.

6. *Ibíd.*

CAPÍTULO 10: DEPRESIÓN

1. http://www.ajc.com/health/content/health/special1003/19teendepression.html.

2. http://www.nimh.hih.gov/HealthInformation/depchilmenu.cfm.

3. http://www.ajc.com/health/content/health/special1003/19teendepression.html.

4. Gary R. Collins, *Christian Counseling: A Comprehensive Guide*, edición revisada, Word, Dallas, TX, 1988.

5. http://www.prevention.com/article/0,5778,s1-6-73-218-2946-1,00.html.

6. http://www.ajc.com/health/content/health/special1003/19teendepression.html.

7. http://www.healthyplace.com/communities/depression/children_article.asp.

8. *Ibíd.*

9. *Ibíd.*

10. Pat Wingert y Bárbara Kantrowitz, «Young and Depressed», *Newsweek*, 7 de octubre de 2002.

CAPÍTULO 11: TRASTORNOS ALIMENTICIOS

1. «Body Image and Advertising», *Media Scope*, http://www.mediascope.org/pubs/ibriefs/bia.htm (accedido el 2 de febrero de 2003).

2. Patricia H. Davis, *Counseling Adolescent Girls*, Fortress Press, Miniápolis, 1996.

3. *Ibíd.*

4. *Ibíd.*

5. *Ibíd.*

6. *Ibíd.*

7. Les Parrot III, *Helping the Struggling Adolescent*, Zondervan, Grand Rapids, 2000.

8. Davis, *Counseling Adolescent Girls*.

CAPÍTULO 12: VIOLENCIA FEMENINA

1. http://www.hamline.edu/gse/diversity_web/confl_res.htm.

2. http://www.ardemgaz.com.

3. http://www.stltoday.com.

4. http://www.archpedi.ama-assn.org/.

5. http://www.keystosaferschools.com/girlviolence.htm.
6. http://www.crystalinks.com/troubledteens.html.
7. http://www.keystosaferschools.com/girlviolence.htm.
8. *Ibíd.*
9. *Ibíd.*
10. *Ibíd.*
11. *Ibíd.*
12. http://www.seattlepi.nwsource.com/local/173133_
girlfights13.html.

CAPÍTULO 13: JUEGO

1. http://www.nmcag.ncalg.org/topical/addicts2.htm.
2. *Ibíd.*
3. http://www.gambletribune.org/print593.html.
4. http://www.youngmoney.com/money_management/
spending/020809_04.
5. http://www.mental-health-matters.com/articles/article.
php?artID=629.

CAPÍTULO 14: PANDILLAS

1. http://www.gangsorus.com/definition.html.
2. http://www.ncjrs.org/pdffiles1/ojjdp/fs200203.pdf.
3. http://www.iir.com/nygc/faq.htm.
4. *Ibíd.*
5. *Ibíd.*
6. *Ibíd.*

CAPÍTULO 15: NOVATADAS

1. http://www.americancatholic.org/Newsletters/YU/ay0701.asp.
2. http://www.edc.org/hec/news/hecnews/events/000901c.html.
3. http://www.lycoming.edu/stuprograms/antihazingstatement.
htm.
4. http://www.espn.go.com/otl/hazing/list.html.
5. http://www.alfred.edu/pressreleases/viewrelease.cfm?ID=27.

6. http://www.deltasigmatheta.com/haze36.htm.
7. http://www.alfred.edu/pressreleases/viewrelease.cfm?ID=27.
8. http://www.americancatholic.org/Newsletters/YU/ay0701.asp.

CAPÍTULO 17: CONSUMO DE DROGAS ILEGALES

1. http://www.nida.hih.gov/Infofax/HSYouthtrends.html.

CAPÍTULO 18: PULSERAS DE GOMA / ROMPER [SNAP]

1. http://www.katc.com/global/story.asp?s=1891280.
2. http://www.kamr.com/global/story.asp?s.

CAPÍTULO 19: DELINCUENCIA JUVENIL

1. http://www.cnn.com/US/9803/24/school.shooting.folo/index.html.
2. http://www.cnn.com/US/9702/06/abortion.arrest/.
3. Aarón Kipnis, *Angry Young Men*, Jossey-Bass, San Francisco, 1999, p. 99.

CAPÍTULO 20: MATRIMONIO DEMASIADO PREMATURO

1. http://www.wholefamily.com/aboutteensnow/relationships_peers/crushes_and_dating/teen_marriage3.html.
2. Eleanor H. Ayer, *Teen Marriage*, Rosen Publishing, Nueva York, 1990.
3. http://www.cdc.gov/od/oc/media/pressrel/r010524.htm.
4. http://www.illinimedia.com/di/nov02/nov14/news/stories/news_story03.shtml.
5. http://www.wholefamily.com/aboutteensnow/relationships_peers/crushes_and_dating/teen_marriage1.html.

CAPÍTULO 21: MASTURBACIÓN

1. http://www.youthspecialties.com/articles/topics/sexuality/masturbtion_editor.php.

2. http://www.youthspecialties.com/articles/topics/sexuality/solo.php.

3. *Ibíd.*

4. *Ibíd.*

CAPÍTULO 22: MEDIOS DE COMUNICACIÓN

1. http://www.dictionary.reference.com/search?q=media.

2. http://www.mediafamily.org/facts/facts_mtv.shtml.

CAPÍTULO 23: MÚSICA

1. L. Vukich y S. Vandegriff, *Timeless Youth Ministry*, Moody, Chicago, 2002, p. 375.

2. http://www.youthministry.com/articles/trendwatch/quotes.asp.

3. Vukich y Vandegriff, *Timeles Youth*, p. 376.

4. http://www.generationphi.org/ArtistInfo/Artist%20Reviews/blink_182.htm.

5. «The Effects of Music and the Brain», http://www.pionet.net/-hub7/irv.htm.

6. *Ibíd.*

7. *Ibíd.*

8. *Chicago Tribune*, 6 de octubre de 2000.

9. «Special CCM Section: The Music Test», http://www.groupmag.com/articles/details.asp?ID=3591.

10. Peter G. Christenson y Donald F. Roberts, *It's Not Only Rock and Roll: Popular Music in the Lives of Adolescents*, Hampton, Cresskill, NJ, 1998.

11. *Ibíd.*

12. «Special CCM Section: The Music Test».

13. *Ibíd.*

14. CNN/*USA Today*, encuesta Gallup, 3 de mayo de 1999.

15. Christenson y Roberts, *It's Not Only Rock and Roll*.

16. J.D. Johnson, «Differential Gender Effects of Exposure to Rap Music on African American Adolescents on Teen Dating Violence», *Sex Roles*, 1995.

17. «Music Videos That Flirt with Violence», *CQ Research*, 26 de marzo de 1993.

18. B.M. Waite, M. Hillbrand y H. Foster, «Reduction of Aggressive Behavior After Removal of Music Television (MTV)», *Hospital and Community Psychiatry* 43, 1992, pp. 173-75.

19. «Music Videos That Affect Adolescents' View of Violence», comunicado de prensa, Academy of Pediatrics, 1998.

20. Steve Johnson, «The New MTV: Be Very Afraid», *Chicago Tribune*, 21 de marzo de 2001.

21. «Special CCM Section: The Music Test», http://www.groupmag.com/articles/details.asp?ID=3591.

22. Television Viewing Study by Teenage Research Unlimited, otoño de 1996.

23. R. DuRant y otros, «Violence and Weapon Carrying in Music Videos: A Content Analysis», *Arch Pediatric Adolescent Medicine*, 1997, p. 151.

CAPÍTULO 24: PORNOGRAFÍA EN LÍNEA

1. http://www.dinternet.org/statistics.

2. http://www.familysafemedia.com/pornography_statistics.html.

CAPÍTULO 26: ACTO SEXUAL ORAL

1. Nadine Brozan, «New Look at Fears of Children», *New York Times*, 2 de mayo de 1983, p. 85.

2. Christy Hyde, entrevista telefónica con la autora, 23 de febrero de 2004.

3. *Ibíd*.

4. *Ibíd*.

5. *Ibíd*.

CAPÍTULO 27: GLOTONERÍA / OBESIDAD

1. Diana Sullivan, http://www.drdianasway.com/index.html.

2. http://www.cdc.gov/youthcampaign/materials/adults/active_children.htm.

3. Sullivan, http://www.drdianasway.com/index.html.

CAPÍTULO 28: MEDICINAS SIN RECETA

1. http://www.taadas.org/factsheets/DXM.htm.
2. *Ibíd.*
3. http://www.health.org/nongovpubs/prescription/.

CAPÍTULO 29: ABUSO DE LOS PADRES

1. http://www.halifaxherald.com/external/abusedparents/abusedparents.html.
2. http://www.bbc.co.uk/health/hh/kids21.shtml.
3. http://www.halifaxherald.com/external/abusedparents/abusedparents.html.
4. http://www.ladyria.us/causes/parent_abuse.htm.
5. http://www.phac.aspc.gc.ca/ncfv-cnivf/familyviolence/pdfs/2003parentabuse_e.pdf.
6. http://www.olderchildadoption.com/parenting/childrenabusing2.htm.
7. *Ibíd.*

CAPÍTULO 30: PIERCING

1. Beth Wilkinson, *Coping with the Dangers of Tattoing, Body Piercing, and Branding*, Rosen Publishing, Nueva York, 1998.
2. *Ibíd.*
3. *Ibíd.*
4. Laura Reybold, *Everything You Need to Know about the Dangers of Tattoing and Body Piercing*, Rosen Publishing, Nueva York, 1996.
5. *Ibíd.*
6. *Ibíd.*

CAPÍTULO 31: EMBARAZO

1. D. Rinaldo, «The Tough Life of a Teen Mom», *Scholastic Choices* 17, n.º 5, 2002.

2. L. Harris, «Urban African American Adolescent Parents: Their Perceptions of Sex, Love, Intimacy, Pregnancy and Parenting», 23, n.º 1, 1998.

3. S. Singh y J.E. Darroch, «Trends in Sexual Activity among Adolescent American Women: 1982-1995», *Family Planning Perspectives* 31, n.º 5, 1999, pp. 211-19.

4. AGI, *Sex and America's Teenagers*, AGI, Nueva York, 1994, pp. 19-20.

5. K.A. Moore y otros, *A Statistical Portrait of Adolescent Sex, Contraception, and Childbearing*, National Campaign to Prevent Teen Pregnancy, Washington, DC, 1998, p. 11.

6. http://www.agi-usa.org.

7. S. Harlap, K. Kost, y J.D. Forrest, *Preventing Pregnancy, Protecting Health: A New Look at Birth Control Choices in the United States*, AGI, Nueva York, 1991, p. 36, figura 5.4.

8. AGI, *Teenage Pregnancy: Overall Trends and State-by-State Information*, AGI, Nueva York, 1999, tabla 1, y S.K. Henshaw, *U.S. Teenage Pregnancy Statistics with Comparative Statistics for Women Aged 20-24*, AGI, Nueva York, 1999, p. 5.

9. AGI, *Sex and America's Teenagers*, p. 76.

10. S.J. Ventura y otros, «Births: Final Data for 1997», *National Vital Statistics Report* 47, n.º 18, 1997, tabla 2.

11. S.K. Flinn y D. Hauser, *Teenage Pregnancy: The Case for Prevention. An Analysis of Recent Trends and Federal Expenditure Associated with Teenage Pregnancy*, National Campaign to Prevent Teen Pregnancy, Washington, DC, 1997.

13. L. J. Piccinino y W.D. Mosher, «Trends in Contraceptive Use in the United Status: 1982-1995», *Family Planning Perspectives* 30, n.º 1, 1998, pp. 4-10, 46, tabla 1.

14. http://www.agi-usa.org.

15. http://www.abstinence.net.

16. *Ibíd.*

CAPÍTULO 32: RELACIÓN SEXUAL PREMATRIMONIAL

1. http://www.christianitytoday.com/tc/2003/002/7.28.html.

2. Kathiann M. Kowalski, «Teenagers Who Choose Virginity», *Current Health* 28, n.º 1, 2001, p. 1.
3. *Ibíd.*
4. http://www.abcnews.go.com/US/story?id=90435&page=1.
5. http://www.projectreality.org/resultsmiddle.html.
6. «The Naked Truth», *Newsweek*, 8 de mayo de 2000, p. 58.
7. http://www.christianteens.about.com/cs/christianadvice/a/SEX.htm.

CAPÍTULO 33: CONSUMO DE MEDICAMENTOS RECETADOS

1. http://www.prescriptiondrugaddiction.com/common.asp.
2. *Ibíd.*
3. http://wwwdrugabuse.gov/ResearchReports/Prescription/prescription5.html.
4. http://www.drug-rehabilitation.org/featured_columns.htm.
5. http://wwwdrugabuse.gov/ResearchReports/Prescription/prescription5.htm.
6. http://www.buy-steroids.biz.
7. http://www.kidsgrowth.com/resources/articledetail.cfm?id=1792.
8. *Ibíd.*
9. http://www.usnodrugs.com/teen-drug-abuse.htm.
10. http://www.kidsgrowth.com/resources/articledetail.cfm?id=1792.
11. http://www.4therapy.com/consumer/conditions/item.php?uniqueid=5862&categoryid=241&.
12. http://www.drug-help.net/drug-abuse.htm.

CAPÍTULO 34: LENGUAJE PROFANO

1. http://www.hattoncoc.org/bulletin49.html.
2. Stephen Steinberg, http://www.sfgate.com/cgi-bin/article.cgi?file=/chronicle/archive/1999/09/17/MN86516.DTL.
3. http://www.freepress.net/news/print.php?id=2270.
4. *Ibíd.*
5. http://www.cusscontrol.com/tips1.html.

CAPÍTULO 35: DESERCIÓN ESCOLAR

1. http://www.businessroundtable.org/newsroom/document.asp x?qs=55B6BF807822B0F1DD5439167F75A70478252.

2. Andrew Sim y Paul Herrington, «The Hidden Crisis in the High School Dropout Problems of Young Adults in the U.S.: Recent Trends in the Overall School Dropout Rates and Gender Differences in Dropout Behavior», febrero de 2003.

3. *Ibíd.*

4. http://www.businessroundtable.org/newsroom/document.asp x?qs=55B6BF807822B0F1DD5439167F75A70478252.

CAPÍTULO 36: FIESTAS DELIRANTES [RAVES]

1. http://www.usdoj.gov/ndic/pubs/656/.

2. *Ibíd.*

3. http://www.mapinc.org/drugnews/v04/n918/a07.html?111.

4. http://www.abcnews.go.com/US/story?id=94397&page=1.

5. http://www.mapinc.org/drugnews/v04/n918/a07.html?111.

6. http://www.usdoj.gov/ndic/pubs/656/.

7. *Ibíd.*

CAPÍTULO 37: METILFENIDATO [RITALIN]

1. Linda Davis, «Ritalin: Wonder Drug or Cop Out for ADD?», *PHIP Newsletter* 2, n.º 5, 13 de marzo de 1996.

2. *Ibíd.*

3. Keith Hoeller, «Ritalin Shouldn´t Be Torced on Our Kids», *Seattle Times*, 8 de marzo de 2000, p. B5.

4. Davis, «Ritalin: Wonder Drug».

5. Doug Hanchett, «Ritalin Speeds Way to Campuses: College Kids Using Drug to Study, Party», Boston Herald, 21 de mayo de 2002, p. 8.

6. http://www.bvs.insp.mx/componen/svirtual/ppriori/10/0401/ arti.htm.

7. *Ibíd.*

8. http://www.youngminds.org.uk/adhd/.

9. http://www.rutherford.org/articles_db/commentary.asp?record_id=283.

10. *Ibíd*.

11. http://www.communitycare.co.uk/articles/article.asp?liarticleid=43075&liSectionID=22&Keys=ritalin+nation&1iParentID=26.

12. http://www.usatoday.com/news/health/2004-06-15-adhd-meds_x.htm.

13. http://www.usatoday.com/news/health/2004-06-15-approach_x.htm.

14. http://www.communitycare.co.uk/articles/article.asp?liarticleid=43075&liSectionID=22&Keys=ritalin+nation&1iParentID=26.

15. John Lang, «Ritalin: Helpful or Harmful?», *Denver Rocky Mountain News*, 9 de junio de 1997, p. 3A.

CAPÍTULO 38: FUGAS

1. http://www.aca.ninemsn.com.au/stories/109.asp.

2. http://www.fbi.gov/hq/cid/cac/kidnap.htm.

3. http://www.ncjrs.org/pdffiles1/ojjdp/196469.pdf.

4. http://www.ncmec.org/en_US/documents/nismart2_nonfamily,pdf.

5. Gerald P. Mallon, Nina Aledort y Michael Ferrera, «There's No Place Like Home: Achieving Safety, Permanency and Well Being for Lesbian and Gay Adolescents in Out-of-Home Care Settings», *Child Welfare* 81, marzo-abril de 2002, pp. 407-39.

6. *Ibíd*.

CAPÍTULO 39: ABUSO SEXUAL

1. Barrie Levy, *In Love and in Danger: A Teen's Guide to Breaking Free of Abusive Relationships*, 1998.

2. Wisconsin Coalition Against Sexual Assault, 1997.

CAPÍTULO 40: ACOSO SEXUAL

1. Bobin Wasserman, «Harassment in the Halls», *Scholastic Choices* 18, n.º 7, abril de 2003.

2. http://www.de.psu.edu/harassment/generalinfo/.
3. http://www.de.psu.edu/harassement/legal/default.html.
4. *Ibíd*.
5. http://www.aauw.org/research/girls_education/hostile.cfm.

CAPÍTULO 41: HURTO EN TIENDAS

1. http://www.shopliftingprevention.org/WhatNASPOffers/NRC.htm.
2. *Ibíd*.
3. http://www.shopliftingprevention.org/WhatNASPOffers/NRC/PublicEducStats.htm.
4. http://www.shopliftersalternative.org.
5. http://www.gospelcom.net/narrowmore/bk_114_deliq2.htm.
6. *Ibíd*.
7. http://www.kidshealth.org/kid/health_problems/learning_problem/stealing.html.
8. *Ibíd*.
9. http://www.wivb.com/global/story asp?s=1392980&ClientType.
10. http://www.longisland.com/parenthood.com/articles.html?article_id=4689.
11. *Ibíd*.

CAPÍTULO 42: RIVALIDAD ENTRE HERMANOS

1. http://www.angelfire.com/md/imsystem/sibriv3.html.
2. *Ibíd*.
3. http://www.safechild.org/childabuse3.htm.1999.

CAPÍTULO 43: FUMAR Y CONSUMIR TABACO

1. http://www.whyquit.com/whyquit/SeanMarsee.html.
2. http://www.naples.net/health/smokteen.htm.
3. Centers for Disease Control and Prevention, «Projected Smoking-Related Deaths Among Youth: United Status», *Morbidity and Mortality Weekly Report 1996*, 45, pp. 971-74.

4. Centers for Disease Control and Prevention, *Preventing Tobacco Use Among Young People: A Report of the Surgeon General*, U.S. Department of Health and Human Services, Atlanta, 1994, pp. 34-38.

5. http://www.cdc.gov/tobacco/christy/FactsFict.htm.

6. http://www.my.webmd.com/hw/raising_a_family/tp16415.asp?src=Inktomi&condition=healthwise.

CAPÍTULO 44: ESTEROIDES

1. http://www.nids.nih.gov.

2. http://www.cnnfyi.printhis.clickability.com/pt/cpt?action=cpt&title=CNN.com+-+High+schools+struggling+with+rising+steroid+use.

3. http://www.nids.nih.gov.

4. http://www.aap.org

5. http://www.nids.nih.gov.

CAPÍTULO 45: CARRERAS CALLEJERAS

1. http://www.lacr.net/news.htm.

2. *Ibíd.*

3. http://www.mit.edu/-jfc/laws.html.

4. http://www.canadiandriver.com/news/030530-5.htm.

CAPÍTULO 46: PROSTITUCIÓN JUVENIL EN LOS SUBURBIOS

1. http://www.hometownsource.com/capitol/1999/november/1104teens.html.

2. http://www.rickross.com/reference/general/general103.html.

3. http://www.hometownsource.com/capitol/1999/november/1104teens.html.

4. http://www.c-a-s-e.net/2003%20News%20Articles/Suburban%20Surprise.htm.

5. http://www.realmencook.com/articles/parents.htm.

6. http://www.teenresearch.com/PRview.cfm?edit_id=116.

7. http://www.mncasa.org/manuals_lit/features/03juvenileprostitution.html.

CAPÍTULO 47: SUICIDIO O INTENTO DE SUICIDIO

1. Jessica Portner, «Complex Set of Ills Spurs Rising Teen Suicide Rate», *Education Week* 19, n.º 31, 4 de abril de 2000, *EBSCOhost:Academic Search Elite*.
2. http://www.cdc.gov/ncipc/factsheets/suifacts.htm.
3. http://www.aappolicy.aapublications.org/cgi/reprint/pediatrics;105/4/871.pdf.
4. http://www.truehopehelp.com/generalchat/PublicationsGuides/evalupsych.htm.
5. http://www.aap.org/pubed/ZZZ7FR2VR7C.htm?&sub_cat=1.
6. *Ibíd*.
7. Mark D. Regnerus, «Religion and Positive Adolescent Outcomes: A Review of Research and Theory», 44, 2003, p. 4, *EBSCOhost:Academic Search Elite*.

CAPÍTULO 48: TELEVISIÓN

1. http://www.kff.org/entmedia/loader.cfm?url=/commonspot/security/getfile.cfm&PageID=4668,
2. http://www.wcwonline.org/television/.

CAPÍTULO 49: MENTALIDAD DE MATÓN

1. http://www.bampac.org.
2. http://www.usatoday.com/news/nation/2004-06-24-detroit-shooting.
3. http://www.cleveland.com/news/plaindealer/phillip_morris/index.ssf?/base/opinion/1084105800207020.xml.
4. http://www.globalblacknews.com/TBrown.html.
5. http://www.slatemsn.com/id/2103794/.
6. http://www.blackvoicenews.com/.

CAPÍTULO 50: VAMPIRISMO

1. William Schnoebelen, http://www.withoneaccord.org.
2. http://www.teenvampire.meetup.com
3. http://www.angelfire.com/in3/thehome/blooddrinking.html.
4. http://www.religionnewsblog.com/category-cat=66.html.
5. http://www.observer.guardian.co.uk.
6. http://www.kypost.com/news/1997/qa042197.html.
7. Katherine Ramsland, *Piercing the Darkness: Undercover with Vampiros in America Today*, HarperCollins, Nueva York, 1998.

CAPÍTULO 51: VANDALISMO

1. http://www.ncjrs.org/pdffiles1/ojjdp/191729.pdf.
2. *Ibíd.*

CAPÍTULO 52: VIDEOJUEGOS VIOLENTOS

1. Ken Schroeder, «Having Fun», *Education Digest* 63, n.º 1, septiembre de 1997, p. 73.
2. Bernard Cesarone, «Video Games and Children», *Emergency Librarian* 22, n.º 3, enero-febrero de 1995, p. 31.
3. *Ibíd.*
4. http://www.thenewatlantis.com/archive/4/soa/videogames.htm.
5. *Ibíd.*
6. Philip Elmer-Dewitt y John F. Dickerson, «Too Violent for Kids», *Time*, 27 de septiembre de 1993, p. 70.

CAPÍTULO 53: WICCA

1. http://www.nytimes.com/library/style/weekend/021300teen-witches.html.
2. http://www.religiousmovements.lib.virginia.edu/nrms/wicca.html.
3. http://www.nytimes.com/library/style/weekend/021300teen-witches.html.